Die Entstehu Landgeme Eine Gesch

Harlow S. Mills

Writat

Diese Ausgabe erschien im Jahr 2023

ISBN: 9789359255958

Herausgegeben von
Writat
E-Mail: info@writat.com

Inhalt

VORWORT

SEIT vielen Jahren warnen Republikaner unser Volk vor den Gefahren des modernen Stadtlebens. Im Jahr 1800 lebte eine von dreizehn Personen in der Stadt; Heute lebt fast jeder zweite Bürger in einer Großstadt oder Großstadt. Die Stadt ist die Heimat von Reichtum, Handel und Finanzen; die Heimat von Musik, Kunst und Beredsamkeit. Einmal im Jahr kommen alle großen Führungskräfte für einen längeren oder kürzeren Aufenthalt in die Metropole. Die Vögel verlassen die Wüste und suchen die Oase mit ihren Palmen und Wasserquellen auf. Seit zwei Generationen verlassen junge Männer die Farm und das Dorf, um sich in der großen Stadt niederzulassen. Aus dieser Bevölkerungsmasse sind viele unerwartete Gefahren entstanden. Zu diesen Gefahren zählen Mietskasernen, Kneipen, Spielhallen, Lasterhöhlen, die Tendenz zur Anarchie und der Kontrast zwischen den Palästen in den Avenues und den Kolonien in der Bowery. Geisteskranke, mangelhafte Kinder, durch Alkohol und Drogen zerstörte Männer und Frauen sind nur einige der zufälligen Folgen einer überlasteten Bevölkerung. Es wurden unzählige Vorträge über die Gefahren des Stadtlebens gehalten und unzählige Broschüren und Bücher voller Warnungen und voller Besorgnis veröffentlicht. Das unvermeidliche Ergebnis ist, dass die Aufmerksamkeit der Menschen auf die Industriestädte und Großstädte gerichtet ist.

Jetzt kommt Rev. Harlow S. Mills mit seiner Studie über die Landbevölkerung. Mit der Weisheit, die zwanzig Jahre Erfahrung aus erster Hand ermöglicht haben, stellt er den Einfluss des Landes auf die große Stadt dar. Er sagt uns, dass das Land die Führer für die Menschen gestellt hat. Auf dem Land hat der Junge Gelegenheit zum Grübeln, Lesen und Nachdenken, während er in der Einsamkeit seine eigene Begabung entwickelt und groß wird. Die Kirche hat gelernt, sich sowohl bei ihren Theologiestudenten als auch bei ihren besten Jura- und Medizinstudenten auf das Land zu verlassen. Aber in letzter Zeit hat die Landkirche schwer unter der Anziehungskraft der Stadt auf ihre besten jungen Männer und Frauen gelitten. Das unvermeidliche Ergebnis war, dass mit dem Wachstum der Stadtkirche der Reichtum, die Zahl und der Einfluss der Landkirche abnahmen. In den letzten zwanzig Jahren sind viele Dinge geschehen, die Anlass zur Sorge geben, dass das Leben und die Institutionen der Republik, die im Land verwurzelt sind, langsam verhungern könnten. Eines der Probleme der Stunde war die Erneuerung der Landsonntagsschule und der Landkirche.

Führungskräfte der vergangenen Generation haben oft vergeblich mit diesem Problem zu kämpfen. Vor zwanzig Jahren übernahm Pfarrer Harlow S. Mills, ein Freund meiner Kindheit, eine Landkirche im Nordwesten von

Michigan und begann, unter den Menschen, die in weit voneinander entfernten Schulbezirken lebten, den gleichen Gemeinschaftsgeist zu entwickeln, den der Schüler entwickelt in den Bezirken einer großen Stadt. Die Geschichte dieser zwanzig Jahre ist für alle Liebhaber ihrer Mitmenschen und der christlichen Kirche voller Faszination. Herr Mills hat einige wichtige Entdeckungen gemacht und bestimmte Mutterprinzipien aufgestellt, die für die eine Hälfte unseres Volkes, das in Kleinstädten und ländlichen Bezirken lebt, von unschätzbarem Wert sein sollten. Ich glaube, dass dieser Autor und Liebhaber seiner Mitmenschen den guten Samen gesät hat, der letztendlich den Kontinent mit Brot besäen wird.

NEWELL DWIGHT HILLIS.

EINFÜHRUNG

DAS rasante Wachstum unserer Städte und Gemeinden im letzten Vierteljahrhundert hat uns vor ein ernstes Problem gestellt. Die entstandenen religiösen und sozialen Verhältnisse geben Anlass zu großer Besorgnis und waren Gegenstand sorgfältiger Überlegungen. Das Stadtproblem wurde vielfach diskutiert. Es wurden viele Gedanken und Mühen in die Lösung gesteckt, und obwohl Fortschritte erzielt wurden und die Aussichten hoffnungsvoll sind, ist das Ende noch nicht erreicht. In den letzten Jahren ist ein weiteres Problem aufgetaucht, das kaum weniger schwerwiegend ist als das, was die Stadt darstellt: das Landproblem. Dass dies bis vor Kurzem keine besondere Aufmerksamkeit erregt hat, hat zwei Gründe. Erstens war das Stadtproblem so ernst und akut, dass es die öffentliche Meinung bis hin zu den Verhältnissen auf dem Land beschäftigte. Und zweitens haben diese Zustände in den letzten Jahren so schnell an Ernsthaftigkeit zugenommen, und ihre Forderung nach Aufmerksamkeit und sorgfältiger Prüfung ist so eindringlich und zwingend geworden, dass sie nicht länger außer Acht gelassen werden kann. Kein nachdenklicher Mensch kann sich jetzt darüber im Klaren sein, dass es sich um ein Landproblem handelt, dass es genauso ernst ist wie das Stadtproblem und dass beide so eng miteinander verbunden sind, dass keines von ihnen allein gelöst werden kann. Sie stehen oder fallen gemeinsam.

Ich habe weder eine Theorie vorzustellen, noch eine Philosophie, die ich ausnutzen könnte. Ich habe weder für das Stadt- noch für das Landproblem eine Patentlösung parat. Ich kann nur eine Geschichte über einige Dinge erzählen, die getan wurden und die den Weg zu einer Lösung des Länderproblems weisen könnten. Es ist die einfache Darstellung eines Experiments in der Arbeit der religiösen und sozialen Fürsorge, das Erfolg verspricht. Die Gemeinde, von der die Rede ist, kann als Versuchsstation betrachtet werden, und diese Geschichte ist nur der Bericht über die Ausarbeitung bestimmter Methoden. Es wird genügen, wenn sich die Geschichte als kleiner Beitrag zur Lösung des wichtigen und schwierigen Länderproblems erweisen soll.

Eine der größten Schwierigkeiten, die ich beim Schreiben dieser Geschichte hatte, war mit mir selbst. Einige der Erfahrungen waren so rein persönlicher Natur, dass ich zögerte, darüber zu sprechen, und mich davor scheute, die Personalpronomen so häufig zu verwenden. Im ersten Entwurf der Geschichte habe ich auf alle Arten von Umschreibungen zurückgegriffen, um deren Verwendung zu vermeiden, aber es fiel mir schwer, eine konsistente Form anzunehmen, und das Ergebnis war, dass der Eindruck abgeschwächt wurde. Daher kam ich auf Anraten fähiger und umsichtiger

Kritiker zu dem Schluss, die Geschichte auf die einfachste und direkteste Art und Weise zu erzählen.

HS MILLS.

BENZONIA , MICHIGAN ,
15. *August 1914.*

MAP SHOWING
THE LARGER PARISH
(WEST HALF OF BENZIE COUNTY,
MICHIGAN)

SCHLÜSSEL ZUR KARTE

1. Benzonia Village, Gemeinde Benzonia . Kirchenorganisation, Kirchenbau. Jeden Sonntag Morgengottesdienst. Sonntagsschule, Christian Endeavour Society, Woman's Missionary Society, wöchentliches Gebetstreffen, Ladies' Aid Society.

2. Beulah Village, Gemeinde Benzonia . Kapelle. Abendgottesdienst jeden Sonntag, Sonntagsschule, Ladies' Aid Society.

3. Eden, Gemeinde Benzonia . Kirchenorganisation, Schulhaus (Kapelle, 1914). Abendgottesdienst jeden Sonntag, Sonntagsschule, Christian Endeavour Society, wöchentliches Gebetstreffen, Nachbarschaftsclub, Damen-Sozialkreis.

4. Champion Hill, Homestead Township. Kirchenorganisation, Kapelle. Jeden Sonntag Morgengottesdienst, Christian Endeavour Society.

5. Platt Lake, Gemeinde Benzonia . Kapelle. Nachmittagsgottesdienst an wechselnden Sonntagen. Damenhilfsgesellschaft.

6. North Crystal, Gemeinde Benzonia . Privathaus (Kapelle, 1914). Nachmittagsgottesdienst an wechselnden Sonntagen, Sonntagsschule, Ladies' Aid Society.

7. Grace, Gilmore Township. Kirchenorganisation, Kapelle. Jeden Sonntag Morgengottesdienst, Sonntagsschule, Nachbarschaftsclub, Ladies' Aid Society.

8. Demerley , Gemeinde Joyfield . Schulhaus. Nachmittagsgottesdienst an wechselnden Sonntagen, Sonntagsschule.

9. Südkapelle, Gemeinde Benzonia . Kapelle. Abendgottesdienst an wechselnden Sonntagen, Sonntagsschule.

10. East Joyfield , Gemeinde Joyfield . Kapelle. Abendgottesdienst an wechselnden Sonntagen, Sonntagsschule.

11. Liberty Union, Gemeinde Benzonia . Schulhaus. Nachmittagsgottesdienst an wechselnden Sonntagen, Nachbarschaftsclub.

12. South Elberta , Gemeinde Gilmore. Schulhaus. Sonntagsschule.

BESCHREIBUNG DER KARTE

Damit der Begriff „The Larger Parish", der Name, unter dem das Werk dieser Geschichte allgemein bekannt ist, verstanden werden kann, ist möglicherweise eine Beschreibung seiner Geographie und Topographie, wie sie auf der beigefügten Karte dargestellt ist, erforderlich.

Die größere Benzonia- Gemeinde liegt im Benzie County, Michigan, acht Meilen vom Lake Michigan entfernt und am östlichen Ende des Crystal Lake, einem der schönsten kleinen Seen des Bundesstaates. Benzonia -Beulah, die Zwillingsdörfer, die das Zentrum der größeren Gemeinde bilden, liegen an der Ann Arbor Railroad, die sich diagonal durch den Staat von Toledo, Ohio, nach Frankfort am Lake Michigan erstreckt. Die größere Gemeinde umfasst Benzonia Township und Teile der Townships Lake, Homestead, Joyfield , Gilmore und Crystal Lake. Es gliedert sich in drei Untergemeinden: die Nordgemeinde mit zwei Kirchen, Champion Hill und Eden, und zwei Außenstationen, North Crystal und Platt Lake; die South Parish mit einer Kirche, Grace, und fünf Außenstationen, South Chapel, Demerley , East Joyfield , Liberty Union und South Elberta ; Dazwischen liegt die Central Parish mit Benzonia auf dem Hügel und Beulah im Tal, eine halbe Meile entfernt.

Die Karte stellt die westliche Hälfte des Benzie County dar und die verschiedenen Kirchen, Kapellen und anderen Außenstationen sind eingezeichnet.

I
DER HISTORISCHE RAHMEN DER GESCHICHTE

DIE Geschichte von Neuengland ohne die Pilgervölker konnte weder verstanden noch gewürdigt werden. Wir müssen etwas über diese robusten, gewissenhaften Männer und Frauen wissen, die ins Exil gingen und den stürmischen Atlantik überquerten, um „die Freiheit zu haben, Gott anzubeten". Wir müssen etwas über die karge und winterliche Küste verstehen, die sie aufgenommen hat, etwas über ihre Kämpfe und Leiden, ihre Ziele und Sehnsüchte, wenn wir die Geschichte der Zivilisation kennen wollen, die sie gegründet haben, oder eine wahre Vorstellung vom Experiment der Demokratie bekommen wollen dass sie es so erfolgreich geschafft haben.

Die Geschichte, die gleich erzählt wird, hatte ihre Pilger. Sie wegzulassen würde bedeuten, die Geschichte zu verderben. Es kann nicht verstanden werden, ohne etwas über ihren heroischen Geist, ihre aufrichtige Hingabe und die Art und Weise zu wissen, wie sie der Gemeinschaft, die sie gründeten, und den Institutionen, die sie gründeten, ihre Ideen und ihre Persönlichkeit dauerhaft einprägten. Um diese Geschichte der Landevangelisierung zu vervollständigen, ist eine Darstellung des historischen Kontextes erforderlich.

Das halbe Jahrhundert zwischen 1825 und 1875 war Zeuge der bemerkenswertesten Bildungsbewegung, die unser Land je gesehen hat. Es war die Ära der College-Gründung. In dieser Zeit wurde eine Reihe christlicher Colleges von New York bis Kalifornien geplant, von denen viele entwickelt wurden und heute als Denkmäler für den Eifer und die Weitsicht dieser bemerkenswerten Generation von Nationenbauern stehen. Der Wert ihrer Arbeit und ihr positiver Einfluss auf die Menschen und die Institutionen des bevölkerungsreichsten, reichsten und einflussreichsten Teils unseres Landes können nicht geschätzt werden.

Im Jahr 1858 kam eine Gruppe von Menschen aus Nord-Ohio, die ihre Fackel religiöser und pädagogischer Begeisterung am Feuer von Oberlin entzündet hatten, in die weite Wildnis von Nord-Michigan mit der Absicht, dort christliche Institutionen zu gründen . Sie waren hochgesinnte, robuste Menschen mit starken religiösen Überzeugungen. Die Pilger brachten weder ein wahreres Motiv noch einen reineren Zweck an die Küste Neuenglands. Sie waren bereit, ihr Leben und ihr Vermögen in das Unternehmen zu stecken. Sie prägten die neue Gemeinschaft, die sie gründeten, mit dem Stempel ihrer Ideale, und dieser Stempel blieb bestehen.

Diese modernen Pilger wiederholten mit einigen Modifikationen die Erfahrungen ihrer Neuengland-Prototypen. Nach einer langen und stürmischen Reise auf den Großen Seen landeten sie im Spätherbst an einer unwirtlichen Küste, bauten sich einige raue Hütten, die ihre Nachkommen nicht für würdig hielten, ihr Vieh unterzubringen, und verbrachten dort einen strengen Winter. Sie erkundeten die Wälder im Nordwesten Michigans und schließlich, mit einer seltsamen Gleichgültigkeit gegenüber der Bedeutung einer Eisenbahn für die Entwicklung einer Stadt, stießen sie auf ein flaches Plateau auf der Spitze eines hohen Hügels, zweihundert Fuß über den ruhigen Gewässern der Schönheit Lake Crystal und acht Meilen vom Lake Michigan entfernt, und dort schlugen sie ihre Zelte auf. Wie Abraham bestand ihre erste Aufgabe nach dem Einzug in das Gelobte Land darin, einen Altar für Jehova zu bauen, und wie er und ihre Vorfahren in Neuengland errichteten sie ihn auf der höchsten Anhöhe, die sie finden konnten. Eines der ersten Dinge, die sie taten, war, einen Standort für eine Kirche und eine Schule auszuwählen und, unter den hohen Ahornbäumen und Buchen stehend, mit Hymnen und Gebeten, diesen hohen Hügel der Sache der christlichen Bildung zu widmen.

Die von ihnen gegründete Kirche, die erste in der gesamten Region Grand Traverse, feierte 1910 den fünfzigsten Jahrestag ihrer Gründung. Sie hat heute etwa dreihundert Mitglieder und ist das Zentrum des religiösen und gesellschaftlichen Lebens, nicht nur des unmittelbarer Gemeinde, sondern auch des Gebiets, das als „The Larger Parish" bekannt ist und zwölf Meilen lang und zehn Meilen breit ist. Sie war die Mutter der Kirchen und wird nun von einer Reihe jüngerer Organisationen umgeben, die unter ihrem wertvollen Einfluss stark und stark werden.

Benzonia , das Dorf, das sie gründeten, wurde nie zu dem bevölkerungsreichen Zentrum, das sie sich erhofft hatten. Mittlerweile leben nur noch etwa vierhundert Menschen auf der Hügelkuppe und fast ebenso viele mehr im Dorf Beulah, das sich am Fuße des Hügels rund eine halbe Meile entfernt um die Spitze des Sees schmiegt. Die beiden Dörfer Benzonia und Beulah bilden eine Körperschaft und haben zusammen etwa siebenhundert Einwohner. Die Schule, die sie gegründet haben, betreibt immer noch Geschäfte, wenn auch nicht ganz so, wie sie es erwartet hatten. Sie wollten die Geschichte von Oberlin wiederholen, indem sie in den Wäldern im Norden Michigans eine Institution des Lernens gründeten, wie die Väter sie im Norden Ohios gründeten. Aber die Bedingungen waren sehr unterschiedlich. Oberlin befand sich in der Zone schneller Besiedlung. Bald entstanden rundherum Städte und Gemeinden, und in wenigen Jahren wurde es zum Zentrum einer großen Bevölkerung. Doch die nördliche Region Michigans entwickelte sich sehr langsam und es dauerte lange, bis es genügend Menschen gab, um ein College zu unterhalten oder seine Existenz zu rechtfertigen. Aber von Anfang an war eine Schule von hohem Rang in Betrieb, und sie leistete in jenen frühen Jahren hervorragende Dienste, indem sie die Bildungsarbeit für die gesamte Region erledigte und Lehrer für die öffentlichen Schulen in einem weiten Gebiet stellte. Sie wird jetzt als Akademie geführt und leistet hervorragende Arbeit, indem sie jedes Jahr große Klassen junger Menschen aussendet, die gut auf den Eintritt in eine Hochschule oder Universität im Land vorbereitet sind. Die Akademie wurde größtenteils durch die Gaben und Opfer der Menschen der Gemeinde aufrechterhalten und ist ein wichtiger Faktor der Arbeit, die in „The Larger Parish" geleistet wird.

Die Menschen dieser Gemeinschaft sind ungewöhnlich homogen. Es gibt keine Katholiken, wenige Ausländer und keine Farbigen. Sie sind fleißig und fleißig, keiner von ihnen besitzt großen Reichtum und keiner von ihnen ist sehr arm. Alle sind gezwungen, für ihr tägliches Brot zu schuften. Wenn überhaupt, dann ist es dort möglich, ein „einfaches Leben" zu führen, und unter so gesunden Bedingungen hat sich das Gemeinschaftsleben entwickelt. Obwohl die Präsenz der Akademie ein Mittel der Kultur und das Zentrum und die Inspiration des literarischen Lebens war, ist es keineswegs wahr, dass alle Menschen in der weitläufigen Gemeinde gut gebildet sind. Ein paar Meilen vom Dorf entfernt findet man primitive und pionierhafte Bedingungen, und an echtem Missionsgebiet mangelt es nicht.

Das soziale Leben dieser Gemeinschaft ist sehr zufriedenstellend. Es gibt keine Klassen oder Cliquen. Die Menschen kommen auf einer gemeinsamen Basis frei zusammen und verkörpern in ungewöhnlichem Maße das Prinzip der Brüderlichkeit. In der Gemeinde hat es noch nie einen Saloon gegeben, und die Menschen sind größtenteils beständig und gesetzestreu. Sie sind ihren Heimatinstitutionen gegenüber loyal, drängen sich sonntags in die Kirche und zeigen ein lebhaftes Interesse an allen Dingen, die das Wohlergehen des Dorfes und des umliegenden Landes betreffen. Bei der literarischen und musikalischen Unterhaltung sind sie auf sich selbst angewiesen – Shows oder Filmkombinationen gibt es so nie. Aber es wird ein guter Vorlesungskurs aufrechterhalten, und es gibt häufig musikalische und literarische Unterhaltungen durch die Akademie und die Oberschule sowie durch die Bevölkerung der Stadt; Es mangelt also nicht an Mitteln zur Erholung, und zwar an hochwertigen und hilfreichen Mitteln.

Am westlichen Ende von Crystal Lake, acht Meilen entfernt, auf einem wunderschönen Stück Land mit Blick auf den Lake Michigan und Crystal Lake, liegt das Gelände der Frankfort Congregational Summer Assembly. Die Lage ist hervorragend und es entwickelt sich schnell zu einem beliebten Sommerurlaubsort, der sogar Menschen aus Neuengland und von der Pazifikküste anzieht. Die Verbindung zwischen Benzonia und der Sommerversammlung ist sehr eng. Es ist mit häufig verkehrenden Booten leicht zu erreichen. Jedes Jahr findet der „ Benzonia -Tag" statt, an dem sich die Versammlung auf den wunderschönen Campus auf dem Hügel begibt, wo sie ein gemeinsames Abendessen unter den Bäumen und ein gut arrangiertes Programm mit Reden und Musik genießt. Die Bewohner des umliegenden Landes kommen in Scharen zu diesen Outdoor-Festivals und werden von allen mit Spannung erwartet. Sie bieten den Menschen in der Umgebung eine schöne Gelegenheit, in freundschaftlichem Verkehr diejenigen zu treffen, die aus entfernten Teilen des Landes kommen, um die kühle Brise und die Wälder und Seen der nördlichen Michigan-Regionen zu genießen, und sie werden von allen geschätzt. Manchmal ist die Versammlung der Gastgeber und die Menschen von Benzonia sind die Gäste. Während des Sommers sitzen die führenden Minister des Landes häufig auf der Benzonia- Kanzel, und so haben die Menschen, obwohl sie ziemlich weit von den großen Zentren entfernt leben und nicht viel reisen, das Privileg, den berühmtesten Rednern zuzuhören, und kommen daher in Kontakt mit den guten Dingen, die in der Welt gesagt und getan werden.

Die Akademie und die Sommerversammlung stehen in engem Zusammenhang mit der Arbeit der größeren Benzonia -Gemeinde. Obwohl diese Arbeit nicht von ihnen abhängig war, waren ihre Anwesenheit und ihr Einfluss ein großer Anreiz und eine große Ermutigung, und sie haben der Bewegung Stärke und Stabilität verliehen.

Daher wird kurz der Schauplatz der Geschichte skizziert, die in den folgenden Kapiteln erzählt wird.

CRYSTAL LAKE UND BEULAH AUS BENZONIA

II
EINIGE ÜBERZEUGUNGEN, AUS DENEN DIE VISION ENTSTAND

EINE ÜBERZEUGUNG ist eine tolle Sache. Es ist das Ei, aus dem alle großen Unternehmen entstehen. Fast alles, was sich lohnt, war einmal in einer Überzeugung verpackt. Abraham war davon überzeugt, dass er Gottes Führung gehorchen sollte. Er unternahm seine Reise in das „Land, von dem er nichts wusste", und als Ergebnis haben wir die hebräische Rasse und alles, was daraus für die Welt hervorgegangen ist.

Die Vision, von der ich die Geschichte erzähle, war zunächst nur eine Überzeugung. Es gab ein paar Dinge, bei denen ich mir sicher geworden war. Ich weiß kaum, wie mich diese Überzeugung erfasst hat, aber ich denke gerne, dass sie aus derselben Quelle kam wie Abrahams Überzeugung, und dieser Gedanke hat mich zuversichtlich gemacht, diesem leitenden Lichtschein zu folgen.

1. Ich kam zu der Überzeugung, dass das eigentliche Ziel der Kirche darin besteht, dem Volk zu *dienen* , und dass ihr Anspruch auf Unterstützung auf derselben Grundlage beruhen sollte, auf der jede andere Institution ihren Anspruch auf Unterstützung gründet: dass sie den erhaltenen Wert angibt. Das war nicht immer die Idee der Kirchenleute. Sie betrachten die Kirche als eine göttliche Institution, die aufgrund ihres göttlichen Ursprungs und ihres heiligen Charakters zu Recht Respekt und Unterstützung verlangen kann. Vor nicht allzu langer Zeit gab es eine Zeit, in der die Amtsträger der Kirche als ihre Vertreter aufgrund ihrer Position Ehrfurcht und Respekt einfordern konnten. Es gab große Ehrfurcht und Achtung vor „dem Stoff". Aber diese Zeiten sind vorbei. Jetzt wird die Kirche nur noch für das geschätzt, was sie tut. Wenn es nichts tut, braucht es nicht mehr nach respektvoller Anerkennung zu suchen. Wenn es keinen sichtbaren und wertschätzenden Beitrag für die Gemeinschaft leistet, kann es weder mit Unterstützung noch mit positiver Wertschätzung rechnen. Heutzutage legen die Menschen nicht viel Wert auf die Würde eines Geistlichen. Sie fragen nicht, welchen Platz ein Mann einnimmt oder welche Kleidung er trägt, sondern was er für die Gemeinschaft tut. Leistet er wertvolle Dienste? Sie sind durchaus bereit, für wirklich wertvolle Dienste zu zahlen, doch auf Würde und traditionelle Heiligkeit achten sie kaum.

Manche scheinen zu glauben, dass die Kirche Gutes tut, indem sie *sich selbst* aufbaut – dass sie ihre Existenz rechtfertigt, wenn sie als Institution stark wird, wenn sie in ihren äußeren Aspekten gedeiht. Sie sind zufrieden, wenn sie zahlenmäßig zunimmt, wenn sie prächtige und schöne Gebäude errichtet, wenn sie wesentlich zum Ruhm der Konfession, der sie angehört, beiträgt, ob sie nun wirklich den Menschen dient oder nicht. Aber sie kann den Zweck ihrer Existenz niemals dadurch erfüllen, dass sie sich einfach als Institution aufbaut. Es gab Zeiten in der Geschichte der Kirche, in denen sie als Organisation sehr stark war, als Element der Hilfsbereitschaft im Leben der Menschen jedoch sehr schwach. Schöne Gebäude, stattliche Rituale und ein hohes soziales Ansehen können den großen Gründer der Kirche niemals zufriedenstellen. Jesus sagte: „Der Menschensohn ist nicht gekommen, um sich bedienen zu lassen, sondern um zu dienen und sein Leben als Lösegeld für viele hinzugeben." Er schickte seine Kirche mit demselben Auftrag. Solange es nicht das tut, wofür es gesandt wurde, hat es keine Rechtfertigung für seine Existenz. Es ist hier, um zu dienen und den Menschen zu helfen. Soweit es tatsächlich dient, kann es Liebe, Anerkennung und Unterstützung beanspruchen und erwarten – aber nicht mehr. Dies wurde zu einer meiner festen Überzeugungen.

2. Ich bin auch zu der Überzeugung gelangt, dass die Kirche, wenn sie Gutes tut, *allen* Menschen dienen muss. Manchmal hat sich der Eindruck durchgesetzt, dass die Kirche für gute, respektable Menschen da sei. Es wurde angenommen, und manchmal hat es sich auch so gefühlt, es sei verpflichtet, den religiösen Menschen der Gemeinschaft oder denen, die dazu gebracht werden können, religiös zu werden, zu dienen. Es gibt eine große Gruppe von Menschen, die nicht religiös veranlagt sind und keine Zugehörigkeit zur Kirche haben und dies vielleicht auch nicht tun dürften, für die man nicht annimmt, dass sie dafür verantwortlich ist. In fast jeder Pfarrei oder in ihrem Umkreis gibt es eine Reihe von Menschen, die von der Kirche nicht berührt werden und die nicht als wichtig für die Arbeit der Kirche angesehen werden. Einige liegen außerhalb seines Einflussbereichs, weil sie so weit entfernt wohnen, dass sie nicht leicht zu erreichen sind. Einige gelten aufgrund ihres Charakters und ihres Ansehens in der Gesellschaft als übertrieben. Was würde es bewirken, wenn eine Gruppe von Frauen von der Straße für ein paar Sonntagmorgen in eine unserer schönen und angesehenen Kirchen käme? Wie würden sie aufgenommen werden? Würden die Platzanweiser ihnen bequeme Sitzplätze zeigen? Wären sie in den Kirchenbänken der guten Menschen willkommen, die zusammengekommen sind, um Gott anzubeten? Und doch kam das große Oberhaupt der Kirche, „um das Verlorene zu suchen und zu retten". Er scheute solche Menschen nicht und verbannte sie auch nicht aus seiner Gegenwart. Er war „ein Freund der Zöllner und Sünder" und zog sich ernsthafte Kritik zu, weil er in der Angelegenheit seiner Gefährten nicht sorgfältiger unterschied. Die Kirche sollte den Geist des Meisters haben, und wo immer es einen Mann, eine Frau oder ein Kind gibt, gibt es jemanden, an dem die Kirche interessiert sein sollte und dem sie dienen sollte, unabhängig von seinem Charakter und seinem Zustand oder sein soziales Ansehen. Es wurde zu einer meiner festen Überzeugungen, dass die Kirche eine

bestimmte Mission für jeden Menschen innerhalb ihres möglichen Einflussbereichs hat, und aus dieser Überzeugung entstand die Vision.

allen Interessen des Volkes dienen muss, wenn sie ihre Mission erfüllen will . Ich bin mit der Vorstellung aufgewachsen, dass ihre Mission weitgehend, wenn nicht ausschließlich, spiritueller Natur sei. Ihr Haupt- und fast einziges Anliegen galt der Seele des einzelnen Menschen. Es wurde angenommen, dass ein Mensch eine Seele hat und dass diese Seele in Gefahr sei. Seine *Seele* musste gerettet werden – das war das Wichtigste. Es hatte keine große Bedeutung, dass der Mann selbst vor die Hunde ging, wenn nur seine Seele gerettet wurde. Der Mann wurde aus Angst um seine Seele vergessen. Wir waren Opfer einer falschen Psychologie; als ob ein Mensch und seine Seele getrennt werden könnten – als ob es so etwas wie die einfache Rettung der Seele eines Menschen gäbe! Wir haben erkannt, dass ein Mensch, auch wenn er aus vielen Teilen besteht, eine Einheit ist. Er wird nicht mechanisch zusammengesetzt, so dass ein Teil genommen und behandelt werden kann und die anderen Teile ignoriert werden. Er ist nicht in getrennte Abteilungen gebaut , seine Seele in einer und sein Körper in einer anderen. Im Christentum geht es nicht nur um Seelen. Es geht um den Umgang mit Männern, und wir beginnen uns für alles zu interessieren, was einen Mann zu einem Mann macht. Die Überzeugung wurde stärker, dass die Kirche etwas zu sagen und etwas zu tun haben sollte mit allem, was das Leben des Menschen ausmacht; dass es sich als Einfluss auf sein Geschäft, seine Ausbildung, seine Freizeit, sein Privatleben sowie auf seine sogenannten religiösen Übungen bemerkbar machen sollte; dass es am Montag und Dienstag und Mittwoch sowie am Sonntag eine Macht bei ihm sein sollte. Mit anderen Worten: Die Grenze, die das Heilige vom Weltlichen trennen sollte, muss ausgelöscht werden, und alles Gewöhnliche muss heilig werden. Es zeigte sich, dass alles, was im Leben eines Menschen seinen rechtmäßigen Platz hat, Sache der Kirche sein sollte und dass alles, was nicht mit der Kirche und ihren Grundsätzen in Einklang gebracht werden kann, im wirklichen Leben eines Menschen keinen angemessenen Platz hat.

4. Es wuchs die Überzeugung, dass die Dorfkirche, wenn sie ihren Auftrag erfüllen wollte, für die *Evangelisierung des Landes verantwortlich sein muss* . Es muss alle umliegenden Stadtteile erreichen und die Menschen im weiten Umkreis auf lebenswichtige Weise berühren. In der populären Auffassung wurde der Einfluss der Kirche so weit eingeschränkt und eingeschränkt, dass sie nicht mehr die Hälfte des Territoriums und die Hälfte der Menschen umfasst, für die sie verantwortlich ist. Viele Geistliche begnügen sich damit, in den engen Grenzen ihres eigenen Dorfes herumzuwandern und gelegentlich einen Ausflug aufs Land zu machen, während es Dutzende Familien gibt, die etwas abgelegener leben und für die sie nichts unternehmen. Manche Geistliche betrachten ihre Kirchen als ihr Feld und

nicht als ihre Kraft – ein Feld, das es zu bebauen gilt, und nicht als eine Truppe von Arbeitern, die in die weitläufigen Felder hinausgeführt werden, die dahinter liegen. Das ist ein schwerwiegender Fehler. Eine so begrenzte Vorstellung vom Umfang ihrer Arbeit und eine so unzureichende Vorstellung von ihrer wahren Verantwortung und ihren besten Möglichkeiten werden eine Kirche sicherlich zur vergleichsweisen Nutzlosigkeit und letztendlich zum Scheitern verurteilen. Wenn alle Dorfkirchen die Vision haben und ihre Arbeit in ihrer Fülle sehen, wird das Landproblem gelöst sein.

Die Evangelisierung auf dem Land ist in erster Linie und praktisch Aufgabe der Dorfkirche. Die Dorfkirche ist die einzige, die das wirklich aufgreifen und erfolgreich bewältigen kann. Es liegt in der Macht der Kirchen in den Dörfern und Kleinstädten, den gesamten Aspekt der Dinge im Land religiös, moralisch und sozial zu verändern.

Seit einigen Jahren versuchten der Pfarrer und die Kirche dieser Geschichte, etwas für die abgelegenen Regionen zu tun, aber sie hatten nicht begriffen, dass alle Menschen im weiten Umkreis, die nicht von einer anderen Kirche betreut wurden , in ihrer Pfarrei waren – dass sie für sie verantwortlich waren und ihnen gegenüber eine Mission hatten. Sie begannen zu erkennen, dass sie nicht die Hälfte der Arbeit leisteten, die sie tun könnten und tun sollten; dass es Dutzende von Familien und Hunderte von Menschen gab, für die die Kirche nichts bedeutete und die ihre Kraft auf anregende und erhebende Weise spüren sollten. Sie begannen den Druck dieser Verpflichtung zu spüren, die die ganze Zeit auf ihnen geruht hatte und deren sie sich nicht bewusst waren oder die sie nicht beachtet hatten. Die Stimme Gottes begann deutlich in ihren Ohren zu erklingen: „Geht hinaus in diese reifen Erntefelder und sammelt Garben für den Herrn." Die Überzeugung wurde so stark, dass sie sich mit der umfassenderen Arbeit befassen sollten, und die Pflicht wurde so offensichtlich, dass sie sich wunderten, sie nicht schon lange zuvor gesehen zu haben.

5. Es wuchs die Überzeugung, dass die Dorfkirche, wenn sie ihren Auftrag erfüllen wollte, eine Gemeinschaftskirche sein musste. Früher dachte ich, dass die Kirche einfach nur mit Einzelpersonen zu tun habe; dass seine Aufgabe darin bestand, hier und da auszugreifen, dieses und jenes zu ergattern, und dass dort seine Arbeit endete. Die Gesellschaft wurde als Sandhaufen und nicht als Organismus betrachtet. Der Mensch wurde allein in sich selbst betrachtet und nicht in seinen Beziehungen, und so wurde er missverstanden, denn nichts kann wirklich und vollständig erkannt werden, außer in seinen Beziehungen. Aber es hat sich gezeigt, dass diese ausschließlich individualistische Auffassung ein Fehler war; dass es so etwas wie ein Gemeinschaftsleben gibt, das Leben, das alle Menschen gemeinsam haben; dass Männer durch gemeinsame Interessen miteinander verbunden

sind; dass sie Mitglieder voneinander sind; dass „keiner von uns für sich selbst lebt und keiner für sich selbst stirbt ." Es wuchs die Überzeugung, dass die Kirche dieses Gemeinschaftsleben, an dem der Einzelne teilnimmt, berücksichtigen sollte; dass es sich nicht nur um die Menschen, sondern um *den Menschen* kümmern sollte ; dass es der gesamten Gemeinschaft dienen sollte und dass der Kirche nichts fremd sein oder von ihr ignoriert werden sollte, was in irgendeiner Weise das gemeinsame Leben der Menschen betrifft.

Diese Überzeugung tat meiner Einschätzung der Bedeutung des Spirituellen oder des Einzelnen keinen Abbruch. Ich betrachtete den spirituellen Teil eines Menschen immer noch als seinen wesentlichsten Teil. Es war immer noch klar, dass wir es mit den Menschen als Individuen zu tun haben, aber ich erkannte sie auch in ihrer organischen Beziehung zum gesamten Leben der Gemeinschaft. Es sollten nicht nur die Seelen der Männer gerettet werden, sondern auch die *Männer* selbst. Es sollten nicht nur die *Männer* gerettet und zu einem besseren Leben emporgehoben werden, sondern die *ganze Gemeinschaft* sollte gerettet werden und das Gemeinschaftsleben sollte auf eine höhere Ebene gebracht werden.

Aus diesen Überzeugungen, die immer positiver wurden, entstand die Vision, deren Erfüllung Gegenstand dieser Geschichte ist.

III
WIE DIE VISION KOMMT

DIE Entstehung einer Vision ist immer interessant, wenn auch oft unklar. An einem Tag ist eine bestimmte Seite des Lebens leer. Es gibt keinen Ausblick, keinen Hinweis auf die kommende Helligkeit. An einem anderen Tag wird diese Seite des Lebens durch eine klare und eindeutige Vision, die auf zukünftige Erfolge hinweist, ganz strahlend und herrlich. Manchmal kommt es plötzlich, wie die Vision von Petrus, als er in Joppe auf dem Dach war; und manchmal dämmert es allmählich und malt sich nach und nach in wunderschönen Farben an den Himmel des inneren Bewusstseins. Wie in einem früheren Kapitel erwähnt, ist eine Überzeugung das Ei, aus dem die Vision kommt; Aber das Ei ist nur tote und formlose Materie, bis es ausgebrütet und zum Leben erweckt wird. So kann eine Überzeugung stark und positiv sein, aber sie kann lange Zeit bestehen, formlos, leblos und nutzlos, bis sie durch den grübelnden Geist eines Menschen zur Vitalität belebt wird und so zu einer aktiven und inspirierenden Kraft wird. Daher kann es für das richtige Verständnis dieser Geschichte nützlich und notwendig sein, zu erzählen, wie die Vision zustande kam.

Fünfzehn Jahre lang arbeitete ich in meiner Landgemeinde. Es waren glückliche Jahre freudiger, harmonischer Arbeit gewesen. Ich war mit meiner Arbeit zufrieden. Obwohl abgelegen von den großen Bevölkerungszentren, in einem kleinen Dorf und mit Menschen mit sehr bescheidenen Mitteln, fehlte jenes unruhige Gefühl, das den Frieden verdirbt und die Arbeit so vieler Geistlicher beeinträchtigt. Meine Leute waren stark und robust, treu und anerkennend wie viele andere und bereit, bei der Umsetzung aller Arbeitspläne, die der Pfarrer vorschlagen würde, mitzuarbeiten . Sie waren großartige Follower und reagierten schnell auf alle meine Vorschläge. Es herrschte ein gutes Verständnis zwischen mir und den Menschen.

Ich wurde berufen, durch tiefes Leid zu gehen. Mein Zuhause wurde durch einen plötzlichen Schlaganfall zerstört und ich blieb allein zurück. In das dunkle Tal des Kummers begleitete mich mein Volk, soweit es gehen konnte, und die Wirkung schien darin zu bestehen, dass wir uns durch Bande verbanden, die sehr stark und zärtlich waren. Jedes Haus in der gesamten Gemeinde gehörte mir. Alle Kinder gehörten mir. An jedem Kamin stand ein Stuhl für mich und an jedem Tisch ein Teller.

Doch im Laufe der Jahre ergaben sich einige verlockende Gelegenheiten, anderswo zu arbeiten. Ich war nicht ohne Ambitionen und Sehnsüchte. Ich wollte das volle Maß meiner Fähigkeiten ausschöpfen und mein Bestes geben. Und als sich Gelegenheiten ergaben, die die kleine Landgemeinde vergleichsweise klein und dürftig erscheinen ließen, war ich nicht ganz davor gefeit. Hilfspastor in einer berühmten Kirche in einer Großstadt zu werden – die Arbeit als Generalmissionar für einen ganzen Staat zu übernehmen, schien mir so reiche und weitreichende Einsatzgebiete zu versprechen, dass sie einen starken Appell an das Beste übten, das in mir steckte, und vielleicht auch zum Schlimmsten. Ich verbrachte einige Wochen und Monate damit, über diese Vorschläge nachzudenken und lehnte sie schließlich ab. Ich konnte mich nicht dazu durchringen, die Verbindung zu denen abzubrechen, mit denen ich schon so lange und so eng verbunden war. Die persönliche Bindung war zu stark und ich beschloss, bei meinem Volk zu bleiben.

Mit der Entscheidung ging eine gründliche Herzensprüfung einher. Es markierte einen Wendepunkt in meiner spirituellen Geschichte. Ich war beeindruckt von dem Gedanken, dass, wenn es Gottes Wille war, dass ich in meiner jetzigen Arbeit bleiben sollte, dies einem besonderen Zweck dienen musste. Die Dinge könnten in der Zukunft nicht mehr so sein wie in der Vergangenheit. Es wäre kriminell, ein größeres Werk für ein kleineres Werk abzulehnen, es sei denn, es gäbe gute und ausreichende Gründe dafür. Wenn es der Wille des Herrn war, dass ich in dieser Landgemeinde bleiben sollte, musste es dort eine Arbeit geben, die sich für mich lohnte , eine Arbeit, die zumindest im angemessenen Maße an Bedeutung dem großen Vorschlag nahekommen würde von Stadt und Land. Was war die Arbeit? Gab es zwischen diesen Hügeln und in diesen schnell verschwindenden Wäldern etwas zu tun, das den Ehrgeiz eines Menschen beflügeln und seine hohen Ziele erfüllen könnte?

Genau hier kam die Vision. Zunächst wurde eine ganze Gemeinde als mögliche Pfarrei vorgestellt, in der alle Familien der Kirche untergeordnet waren und die Kirche für sie alle einen wertvollen Dienst verrichtete. Die Vision weitete sich aus, bis sie eine weitere Gemeinde und Teile von drei oder vier weiteren umfasste. Es wurde deutlich, dass fast die Hälfte des Landkreises der Kirche tributpflichtig war und dass fünfhundert Familien und 2500 Menschen auf ihren Dienst warteten. Mir wurde klar, dass ich berufen war, der Pastor all dieser Menschen zu sein, im Umkreis von fünf bis sechs Meilen in alle Richtungen, dass die Benzonia- Kirche für sie alle verantwortlich war und dass sie das Recht hatten, sich an uns zu wenden, um Dienste zu leisten und Hilfe, und wenn wir es versäumten, sie zu geben , würden wir unserem Meister untreu sein und unserem Vertrauen widersprechen. Dann sagte ich: „Hier ist etwas, das es wert ist, getan zu werden." Hier könnte ein Experiment zur Evangelisierung des Landes und zur Verbesserung des ländlichen Raums durchgeführt werden, das dazu beitragen könnte, den Abwärtstrend aufzuhalten, der in diesen letzten Tagen so alarmierend geworden ist. Aus diesem Grund hat Gott mich hier behalten. Wenn ich diese Vision Wirklichkeit werden lassen kann, muss ich mich nicht nach einem größeren Feld sehnen. Wenn ich anderen helfen kann, die Vision zu erkennen, und sie mit Begeisterung inspirieren kann, sie in größeren Bereichen als meinem und in vielen Teilen unseres Landes Wirklichkeit werden zu lassen, werde ich es nie bereuen, dass ich dabei geblieben bin." Die Vision kam als Entschädigung. Es war die Belohnung, die Gott dafür gab, dass ich seiner Führung auf jenen Wegen folgte, zu denen mich natürliche Neigungen nicht veranlasst hätten. Gott möchte, dass wir unser bestes und größtes Werk leisten. Er ruft uns nie zu einer kleineren Arbeit auf. Wenn er uns auffordert, einen bescheidenen Weg zu gehen und einen unbekannten Weg einzuschlagen, werden wir dort unser wahres Lebenswerk finden.

Die Kirche war seit vielen Jahren sehr an Missionen im In- und Ausland interessiert. Ich predigte häufig über dieses Thema und hielt es den Menschen ständig vor Augen. Für Missionsobjekte wurden regelmäßig Sammlungen durchgeführt, und der Every Member Canvass-Plan war schon lange in Kraft. Die Reaktion war stets allgemein und liberal. Tatsächlich haben diejenigen, die mit den Kirchen des Staates gut vertraut waren, oft gesagt, dass ihre Gaben im Verhältnis zu ihren Ressourcen größer seien als die jeder anderen Kirche. Sie spendeten nicht nur Geld, sondern auch ihre Söhne und Töchter, um das Evangelium in benachteiligte Regionen zu bringen. Viele der jungen Frauen der Kirche waren gegangen, um in Heimatmissionsschulen zu unterrichten. Und es kam ein wunderschöner Sommer-Sabbat, an dem eine Lieblingsnichte, die bei mir zu Hause aufgewachsen war und ein aktives und nützliches Mitglied der Kirche war, das von allen geliebt wurde, mit feierlichen Gottesdiensten in der kleinen Kirche auf dem Hügel für die Arbeit im Ausland geweiht und geschickt wurde zusammen mit den Gebeten und dem Segen aller Menschen, um sie unter den erwachenden Millionen Chinas zu vertreten .

Als ich eines Tages in meinem Arbeitszimmer saß und über diese Dinge nachdachte, überkam mich plötzlich die Absurdität der Situation. „Hier sammeln wir Geld, um unsere Söhne und Töchter in die entlegensten Teile der Erde zu schicken, aber wir tun absolut nichts für Dutzende Familien, die fast in der Nähe des Klangs unserer Kirchenglocke sind. Wir empfinden eine gewisse Verantwortung für die Millionen Menschen in anderen Ländern, die wir nie gesehen haben und nie sehen werden, aber wir haben keine große Verantwortung für diejenigen empfunden, die nur wenige Meilen von uns entfernt sind. Wir sind bestrebt, das Evangelium den Farbigen, den Chinesen und denen fremder Rassen zu verkünden; aber wir haben keine solche Sorge für diejenigen unserer eigenen Rasse empfunden, die nicht so weit entfernt sind. Es gibt viele Familien und Hunderte von Menschen im Umkreis von fünf oder sechs Meilen von unserer Kirche, die praktisch ohne das Evangelium sind, ebenso wie die Chinesen oder die Bewohner der Südseeinseln. Wir haben keine systematischen Anstrengungen unternommen, sie für diese Dinge zu interessieren. Wir haben ihnen keinen Grund zu der Annahme gegeben, dass wir uns aus christusähnlichen Motiven zu ihnen hingezogen fühlen. Sicherlich muss in unseren Berechnungen etwas falsch sein." Dann hörte ich den Meister sagen: „Dieses hättet ihr tun sollen und das andere hättet ihr nicht ungetan lassen sollen."

Und dann kam die Vision von „The Larger Parish". Ich sah, wie die Kirche ihre Hand ausstreckte und alle Menschen im umliegenden Land zärtlich, aber wirkungsvoll berührte. Ich sah, dass die Kirche für jede Familie eine gewisse Verantwortung wahrnahm und sie alle zu den Grenzen ihrer Pfarrei zählte. Ich betrachtete jede Familie in dieser weiten Region als tributpflichtige Angehörige der Kirche. Ich sah, wie die Kirche systematische Pläne machte, um das Evangelium in all diese abgelegenen Viertel zu bringen. Ich begann, all diese Menschen als meine Gemeindemitglieder zu betrachten, genauso wie diejenigen, die in der Nähe der Kirche lebten und Mitglieder dieser Kirche waren. Und so dämmerte mir die Vision der größeren Pfarrei. In meinem eigenen Kopf annektierte ich das gesamte umliegende Land und begann, Pläne für die Evangelisierung und Hilfe für alle dort lebenden Menschen zu schmieden. Unter dem Einfluss ausländischer Missionen entstand die Vision von der Arbeit, die in der näheren Heimat erledigt werden sollte und durchgeführt werden könnte.

Und es wäre angebracht hinzuzufügen, dass sich die Beiträge für Auslandsmissionen seit Beginn der Arbeit der Größeren Pfarrei mehr als verdoppelt haben. Überall in diesem weiten Gebiet gibt es Menschen, die vor drei Jahren noch wenig über Missionen wussten und sich weniger darum kümmerten, jetzt aber gerne einen Beitrag zur Unterstützung der Missionare in China leisten möchten, für deren Gehalt unsere Kirche die Hälfte zu zahlen verpflichtet ist.

Und so kam die Vision von oben, wie es bei allen guten Visionen der Fall ist, aber sie kam, während wir auf dem Weg der Pflicht wandelten, im Zuge der Entfaltung einer größeren Erfahrung. Wer dem dämmernden Licht folgt, wird die Vision sehen.

IV
WIE DIE VISION WIRKLICHKEIT WURDE

DER Hauptwert von Visionen liegt in ihrer Erfüllung. Ein visionärer Mann ist jemand, der sieht, aber nicht tut. Er offenbart großartige Möglichkeiten, die jedoch nicht Wirklichkeit werden. Der Himmel seines inneren Bewusstseins ist mit wunderschönen Bildern übermalt, aber diese Entwürfe gelangen nie auf die Leinwand oder in den Marmor und finden ihre Erfüllung in Fleisch und Blut. Die ausgefeiltesten Pläne und Spezifikationen werden weder eine Familie beherbergen noch ein Zuhause schaffen. Sie müssen in Ziegel, Stein und Holz verkörpert sein, um sie wertvoll zu machen. Nur die Konkretisierung von Idealen kann den Visionär davor bewahren, zum Visionär zu werden.

Es ist immer interessant und lehrreich, den Prozess zu verfolgen, durch den eine Vision Wirklichkeit wird. Der Weg zum Ziel ist oft unklar, schwierig und langwierig, aber es lohnt sich, ihm zu folgen. In diesem Kapitel wird versucht, den Prozess nachzuzeichnen, durch den die Vision der größeren Gemeinde Wirklichkeit wurde.

Ich hatte eine klare Vorstellung von zwei Dingen – der zu erledigenden Arbeit und dem Instrument, mit dem sie erledigt werden musste; aber wie genau das Instrument die Aufgabe erfüllen sollte, war nicht so offensichtlich. Hier war die Kirche, und hier waren die Menschen; aber wie könnten sie zum gegenseitigen Vorteil zusammengebracht werden? Ich war jahrelang ein sehr beschäftigter Mann gewesen. Meine Zeit war voll ausgelastet und ich hatte nicht gedacht, dass es möglich wäre, noch mehr Arbeit aufzunehmen. Wie sollte ich meine Aktivitäten vervielfachen und trotzdem effizient sein? Die Kirche sei aktiv und aggressiv gewesen. Es hatte große Dinge bewirkt. Nach Ansicht einiger hatte es sich bei der Fortführung seiner Arbeit über die Grenzen des Zumutbaren hinaus angestrengt. Wie konnte es die Größe seiner Gemeinde vervierfachen, indem es das gesamte Gebiet in einem Umkreis von fünf Meilen in alle Richtungen annektierte, und seinen Wahlkreis um ein Vielfaches vergrößern? Würde es nicht von seinen Akquisitionen überschwemmt werden? Wäre es nicht von der Zahl und Größe seiner Verpflichtungen und Verantwortlichkeiten überwältigt? Es hatte sich nicht ausreichend um alle Menschen in seiner kleineren Gemeinde gekümmert. Wie wäre es, wenn seine Grenzen so stark erweitert würden?

Diese und viele andere zweifelhafte Fragen stellten sich, und es gab keine Antworten. Aber es gab die abgelegenen Viertel; ohne sie zu befragen, hatte ich sie meiner Pfarrei angegliedert. Da war die Kirche; Ohne seine Zustimmung einzuholen, hatte ich in meinem eigenen Geist seine Arbeit vervielfacht und seine Lasten um ein Vielfaches erhöht . Ich hatte die

Aufgabe, das Volk zur Annexion bereit zu machen; mit der Kirche, um sie dazu zu bringen, ihre schwereren Lasten und ihre größeren Verantwortungen zu akzeptieren; und eine noch größere Aufgabe besteht darin, die Kirche und das Volk in solche Beziehungen zu bringen, dass das Werk vollendet werden kann. Wie bin ich bei meiner Aufgabe vorgegangen?

1. Als Erstes musste eine Bestandsaufnahme des Geländes durchgeführt werden. Ich begann zu denken, dass alle 2500 Menschen in dieser größeren Gemeinde mir gehörten. Ich fühlte ein gewisses Maß an Verantwortung für sie alle. Wir als Kirche und Pastor müssen etwas für sie alle tun, und um dies zu tun, müssen wir sie alle kennen. Also machte ich mich auf den Weg, alle Familien in diesem weiten Gebiet zu besuchen. Viele davon kannte ich natürlich schon. Aber viele, die weiter entfernt lagen, hatte ich nicht näher kennengelernt, obwohl es in meinen fünfzehn Jahren als Pfarrer nur wenige gab, die mich nicht kannten. Ich wanderte durch die ganze Pfarrei, lebte mit den Menschen zusammen und war oft zwei oder drei Tage lang von zu Hause weg, bis es in der ganzen Gegend kaum noch ein Zuhause gab, in dem ich fremd war. Das war eine höchst erfreuliche und lohnende Arbeit. Überall wurde ich willkommen geheißen. Die Menschen schienen sich fast ausnahmslos über die Kontaktaufnahme mit dem Vertreter der Kirche zu freuen. Körperlich erschöpft, aber im Herzen froh, legte ich mich nachts unter dem Schutz des Daches eines gastfreundlichen Bauern nieder, nachdem ich den Abend in freundschaftlicher Unterhaltung mit ihm und seiner Familie verbracht hatte. Eine solche Gelegenheit, den Menschen nahe zu kommen, ist mehr als zwanzig Predigten wert.

Diese Besuchsreise dauerte viele Wochen – tatsächlich wurde ein großer Teil der Herbstmonate auf diese Weise verbracht, und in vielen wünschenswerten Dingen wurde in diesen drei Monaten mehr erreicht als in den fünfzehn Jahren zuvor. Ich lernte die Menschen von außen kennen, wie ich sie noch nie zuvor gekannt hatte. Meine Berührung mit ihnen war wärmer und enger. Ich habe sie anders gesehen. Mein Interesse an ihnen war deutlicher und intelligenter. Ich verstand das Fachgebiet – lernte sein Ausmaß, seine Schwierigkeiten und seine Ermutigungen kennen – und war daher bereit, mich mit der Aufgabe auseinanderzusetzen, die Gott mir gegeben hatte.

Die Wirkung dieser Reisen unter die Menschen auf mich selbst war äußerst heilsam. Abgesehen von den Informationen, die ich gewann, gab es einen noch größeren Zuwachs an Mitgefühl, an Verständnis und an Inspiration und Begeisterung, die in meine eigene Seele kamen. Normalerweise machte ich diese apostolischen Touren zu Fuß. Ich würde morgens mit meinen Mitarbeitern in der Hand mit einer vorher abgesteckten allgemeinen Route beginnen. Wenn ich einen Mann beim Pflügen des Feldes sah, setzte ich mich mit ihm auf den Pflugbalken, während seine Pferde ruhten, und unterhielt mich gut über seine Farm, sein Zuhause, die Angelegenheiten, die in der

Gemeinde von Interesse waren, und so weiter Fast immer eine gute Gelegenheit, ein paar Worte über die Dinge des Königreichs zu tauschen. Beim Abendessen oder in der Abendbrotstunde, wenn die ganze Familie zusammen war, bot sich dann die Gelegenheit, in das häusliche Leben einzutauchen und für eine gewisse Zeit Teil des Familienkreises zu sein. Ich stellte fest, dass es immer eine herzliche und freudige Reaktion gab, wenn ich die Menschen traf, nicht als Pfarrer, sondern als Mann und Freund, und es war einfach, eine wohlwollende Anhörung für meine Projekte und Pläne zu finden. Es war viel gewonnen, solch enge Beziehungen zu den Menschen aufzubauen . Ohne eine solche Grundlage hätte die Arbeit der größeren Kirchengemeinde kaum erfolgreich weitergeführt werden können.

2. Meine Aufgabe gegenüber der Kirche, meinen Standpunkt darzulegen, die Vision so zu sehen, wie ich sie sah, und bei der Verwirklichung mitzuarbeiten, war nicht schwierig . Sie waren bereit für die größere Arbeit – zumindest waren sie bereit, dafür vorbereitet zu werden. Alles, was sie brauchten, war Licht und Führung. Ich habe mich verpflichtet, dies zu geben. Ich erzählte ihnen meine Vision der größeren Gemeinde. Ich hielt es ihnen ständig vor Augen, predigte es am Sabbath und sprach darüber in der Gebetsversammlung. Ich beschrieb die Situation, wie sie mir bei meinen apostolischen Wanderungen offenbart worden war. Von Woche zu Woche konnte ich sehen, wie die Begeisterung in der Gemeinde aufflammte. Offensichtlich nahm das Interesse an der umfassenderen Arbeit zu. Die Menschen begannen, die Vernünftigkeit dessen zu erkennen. Sie begannen, ein gewisses Verantwortungsgefühl dafür zu verspüren, eine gewisse Freude und Hoffnung, als ihnen die Möglichkeit, es zu tun, zu dämmern begann.

Ich glaube, dass die Basis unserer Kirchen eher bereit ist, zu größeren Diensten aufzubrechen, als die meisten von uns gedacht haben. Die Bereitschaft, neue Aufgaben zu übernehmen und sich auf aggressive Unternehmungen einzulassen, ist tatsächlich größer, als ihnen zugetraut wird. Die Leute wollen etwas tun. Sie wollen eine Arbeit, die sich lohnt . Viele Kirchen sehnen sich nach einer Aufgabe, die sie annehmen und annehmen können – nach etwas, das groß genug und schwierig genug ist, um ihre Kräfte herauszufordern und ihre Begeisterung zu wecken. Und wenn ihnen ein Vorschlag gemacht wird, der vernünftig und vernünftig erscheint, wenn sie Vertrauen in ihre Führer haben können, sind sie im Allgemeinen bereit, sich einzureihen und mit festem und stetigem Schritt voranzuschreiten. Das war bei dieser besonderen Kirche der Fall, und sie standen von Anfang an in fester Phalanx hinter der Arbeit der größeren Pfarrei. Es gab keine Kicker, keine Knocker. Bei all dieser Arbeit hatte ich die Befriedigung zu wissen, dass die Menschen an meiner Seite waren. Sie waren die ganze Zeit über Helfer und keine Hindernisse.

3. Aber wie sollen wir anfangen? Wie können wir in diese größere Gemeinde ausziehen und dieses größere Werk in die Hände bekommen? Irgendwie müssen wir für all diese Menschen etwas sein. Wir müssen einen Weg finden, wie die Kirche in all diesen fünfhundert Häusern als Kraft spürbar werden kann. Aber wie? Nun, ich fing an, in den umliegenden Schulhäusern Gottesdienste abzuhalten. Zusätzlich zu meinen regulären Aufgaben könnte ich in diesen Außenstationen mindestens eine Sitzung pro Woche abhalten. Das schien ein sehr kleiner Anfang zu sein, aber es war ein Anfang. Es war der Einstieg in die größere Arbeit, die folgte. Am Mittwochabend brachten mich einige meiner Leute zu diesen weiter entfernten Orten, wo ich fast ausnahmslos von einer freundlichen und aufmerksamen Gemeinde begrüßt wurde. Ich hatte kein eigenes Transportmittel, und darüber war ich froh, denn es bot mir einen Vorwand, meine Leute um ein Transportmittel zu bitten, und gab ihnen die Möglichkeit, sich an der Arbeit zu beteiligen; denn ich war der Ansicht, dass der Erfolg der Arbeit nicht so sehr von dem abhing, was ich tat oder sagte, sondern vielmehr von der Haltung, die die Mitglieder der Kirche dazu einnahmen . Und die Anwesenheit der Männer an meiner Seite bei diesen Gottesdiensten steigerte die Wirksamkeit der Bemühungen erheblich. Ich war Prediger und einfach „meiner Arbeit nach". *Sie* vertraten die Kirche und verkündeten den Menschen in den Randregionen ihre Einstellung zu ihr. In einigen Stadtteilen gab es keine Schulhäuser und die Gottesdienste wurden in Privathäusern abgehalten. Auf diese einfache Weise begann die Arbeit zu wachsen.

4. Ich hatte zunächst keine genaue Vorstellung davon, wie sich die Arbeit entwickeln würde. Ich habe einfach angefangen, für die Menschen in diesem weiten Gebiet zu tun, was ich konnte. Aber es wurde bald klar, dass ein einzelner Mann nicht in der Lage sein würde, die gesamte Arbeit, die vor mir lag, zu bewältigen. Der Bedarf an einem Helfer wurde immer größer, aber die Möglichkeit, mir einen zu sichern, war mir noch nicht klar geworden. Der Generalmissionar des Staates interessierte sich für die Arbeit und war der erste, der vorschlug, einen Assistenten zu gewinnen. Das gab meinem Herzen neue Hoffnung und Mut. Der Superintendent des Staates wurde auf die Angelegenheit aufmerksam gemacht und er beriet sich mit seinem Beratungsausschuss. Er kam vor Ort an und stimmte nach einer gründlichen Untersuchung mit dem Generalmissionar überein, dass ein Helfer notwendig sei. Er meinte, dass es sich bei der vorgeschlagenen Arbeit um eine legitime Heimmissionsarbeit handele, und dass der beste Weg, das ganze Land zu evangelisieren, darin bestehe, dass jede Dorfkirche so weit wie möglich in das umliegende Land vordringe, bis Dorf für Dorf sich über eine Region hinweg die Hände reichen würde ausreichend mit den Privilegien des Evangeliums ausgestattet.

Das Ergebnis war, dass der Superintendent der Kirche einen Vorschlag unterbreitete. Im Wesentlichen ging es um Folgendes: Wir sollten die Parish Grace Church aufnehmen, eine kleine Kongregationsorganisation, vier Meilen von Benzonia entfernt , die schon seit langem dem Untergang geweiht war und seit einigen Jahren keine regelmäßigen Gottesdienste mehr abgehalten hatte. Die Home Missionary Society würde einen Zuschuss von einhundert Dollar gewähren, wenn Grace Church einhundertfünfzig Dollar aufbringen würde. Es wurde vereinbart, dass die Benzonia- Kirche die anderen zweihundertfünfzig Dollar aufbringen würde, die das Gehalt des Assistenten ausmachen sollten. Dies sollte der Beitrag der Benzonia- Kirche zur Home Missionary Society sein, aber an das Benzonia- Feld zurückgegeben werden, um für die Entwicklung der größeren Pfarrei ausgegeben zu werden. Dieser Vorschlag wurde der Kirche auf einer ordentlichen Versammlung vorgelegt und einstimmig angenommen, und so verpflichtete sich die Kirche in formeller und positiver Weise zur Arbeit der größeren Gemeinde.

Der Pfarrer möchte den Beitrag würdigen, den die Staatsbeamten der Kongregationskonferenz bei der Entwicklung der größeren Gemeinde gespielt haben. Ohne ihre Mitarbeit hätte es nie zu seinem jetzigen Entwicklungsstand gebracht werden können. Mit klarem Weitblick und großzügigen Beiträgen haben sie die Arbeit gefördert, und der Erfolg des Experiments ist größtenteils ihrem mitfühlenden Interesse und ihren klugen und hilfreichen Bemühungen zu verdanken. Sie betrachteten es als Demonstration einer Methode zur Bewältigung des Landesproblems, die, wenn sie sich als erfolgreich erweist, breite Anwendung im ganzen Staat finden könnte, und sie waren froh, ihr ihren fördernden Einfluss und ihre erhebliche Hilfe zukommen zu lassen. Es ist möglich, dass der „Größere Gemeindeplan" eine höchst wirksame Methode für die Heimmissionartätigkeit darstellt.

5. Als nächstes galt es aber, den Mann zu finden, der für ein Gehalt von fünfhundert Dollar bereit war, die Arbeit auf sich zu nehmen, drei Townships zu durchstreifen und Unterpfarrer von 2500 Menschen zu werden. Die größere Gemeinde war noch unorganisiert. Es war noch eine eher unbestimmte und unrealisierte Vision. Es war klar, dass die Evangeliumsarbeit in gewisser Weise in diesem weiten Gebiet eingeführt werden musste; aber welche Form es genau annehmen würde, war noch nicht so klar. Der Assistent muss ein Mann mit Initiative und Führungsqualitäten sein. Er muss in der Lage sein, neue Wege einzuschlagen und unbekannte Wege zu gehen. Es würde viel harte Arbeit erfordern, viel Fingerspitzengefühl und Weisheit erfordern und die unbedingte Forderung nach Weihe. Mit diesen aggressiven Eigenschaften muss er auch in der Lage

sein, unter der Leitung eines anderen zu handeln und diese Arbeit im Einklang mit dem Pfarrer der Kirche fortzusetzen.

Dies scheint eine seltene Kombination zu sein, und die Aufgabe, einen Mann zu finden, der an diesen eher eigenartigen Ort passt, schien sehr groß zu sein – vor allem, da ein Fehler oder Misserfolg zu Beginn der Arbeit dazu führen konnte, dass sie auf unbestimmte Zeit verschoben oder ruiniert wird es ganz. Aber mit unerwarteter Schnelligkeit wurde genau der Mann gefunden, der das Bedürfnis am besten erfüllte. Er hatte einen High-School-Kurs abgeschlossen, zwei Semester an einer Landschule unterrichtet und einige Zeit in den Holzfäller- und Baulagern in den Wäldern im Norden von Michigan und Wisconsin verbracht. Für einen so jungen Menschen hatte er in fast allem, mit Ausnahme der christlichen Arbeit und des Predigens, eine umfangreiche und abwechslungsreiche Erfahrung gesammelt. Darin war er ein Neuling. Keiner von uns – nicht einmal er selbst – wusste, was er tun konnte. Er hatte zunächst nur eine Predigt und alle seine Kräfte waren unerprobt.

Ich habe einen Terminplan für ihn erstellt. Zunächst gab es sieben Stadtteile, in denen er Gottesdienste abhalten sollte, wobei er jeden Sonntagmorgen in der Grace Church und an den anderen Orten, so oft er konnte, predigte. Sein reguläres Programm am Sonntag bestand aus drei Predigten, einer Wanderung von zwölf bis zwanzig Meilen, mit gelegentlichen „Aufzügen", die er von Zeit zu Zeit erhalten konnte. Mehrere Tage in der Woche verbrachte er unter den Menschen, teilte ihre Gastfreundschaft und nahm an ihrem Leben teil. Zweieinhalb Jahre lang lebte er dieses anstrengende Leben, organisierte die Arbeit nach verschiedenen Gesichtspunkten, reduzierte das Chaos auf Ordnung, kam den Menschen nahe und schuf in der gesamten weiten Gemeinde einen großen und warmen Ort für sich und seine Arbeit. Er schaffte es, und am Ende dieser Zeit war er in mehr als einer Universitätsstadt als Studentenpfarrer gefragt und setzte sein Studium fort, wobei er seine Ausgaben durch seine Dienste als Hilfspfarrer in einer großen Universitätskirche bestritt.

Als sich die Arbeit weiterentwickelte und sich die Grenzen der größeren Pfarrei erweiterten, wurde es notwendig, einen zweiten Assistenten einzustellen, und drei Männer fanden mehr Arbeit zu erledigen, als sie vollständig abdecken konnten. Die Beziehungen zwischen dem Pfarrer und seinen beiden Helfern sind sehr eng und glücklich.

6. Von erheblicher Bedeutung sind einige Errungenschaften im konfessionellen Zusammenhalt, die der Arbeit der größeren Gemeinde sehr geholfen haben. Ich hatte beobachtet, dass in vielen Teilen unseres Landes der Eifer für die Konfession größer war als die Liebe zum Königreich, und ich verzweifelte daran, ein solches Werk zu tun, wie es in der umliegenden

Region getan werden sollte, es sei denn, es könnte eine neue Ausrichtung der Christen entstehen Kräfte. Vielerorts wurden die Kirchen vervielfacht, zum großen Nachteil der Sache, die sie eigentlich vertreten sollten.

Es ist wahr, dass einige Teile unserer Städte überkirchlich sind , aber das Übel davon ist nicht so sehr zu spüren, weil es unbegrenzt Material gibt, an dem man arbeiten kann. Auf dem Land und in den Kleinstädten und Dörfern wird der größte Schaden angerichtet. Es gibt viele ländliche Gegenden, in denen eine Kirche gedeihen und ein großer Segen sein würde; aber zwei Kirchen verderben die Gemeinschaft völlig, soweit es die Interessen des Königreichs betrifft. Zu viele Kirchen sind oft schlimmer als zu wenige. Wenn es keine Kirchen gibt, besteht die Chance, dass jemand hereinkommt und eine erfolgreiche Arbeit beginnt. Aber wenn es zu viele sind, sind die Kräfte so gespalten, dass keiner von ihnen eine kraftvolle Arbeit leisten kann, sie alle leben mit „einer geringen Sterberate", ein unheiliger Wettbewerb ist fast unvermeidlich, und durch ihren fruchtlosen Kampf besiegen sie das eigentliche Ziel für den sie existieren. Ein Minister, der kürzlich in ein neues Fachgebiet gewechselt war, antwortete auf die Anfrage, wie es ihm ergangen sei: „Mir geht es jetzt sehr gut. In meinem neuen Fachgebiet muss ich nur gegen zwei Kirchen antreten. Ich hatte vorher drei." Die Menschen auf der Welt betrachten die Situation der überkirchlichen Gemeinschaft mit Verachtung, sie ist so unlogisch und unvernünftig. Dieses Übel wird von allen erkannt und wird von denen, die ernsthaft am Fortschritt des Königreichs interessiert sind, nicht mehr lange toleriert. Tatsächlich gibt es heutzutage eine starke Bewegung hin zu einem besseren Zustand der Dinge.

Auf diesem Gebiet wurde ein schönes Beispiel dafür gezeigt, was im Sinne konfessioneller Gemeinschaft getan werden kann, wenn ein wirklich christlicher Geist vorherrscht, und es hat viel dazu beigetragen, die Arbeit der größeren Pfarrei zu ermöglichen. In Benzonia gab es neben der Congregational Church, die seit dreißig Jahren existierte, eine kleine methodistische Organisation, die jedoch nie wirklich Fuß fassen konnte, und schließlich war allen klar, dass sie nicht benötigt wurde. Fünf Meilen entfernt gab es in Champion Hill eine weitere methodistische Kirche, die tatsächlich auf dem Gebiet der größeren Gemeinde lag. In einem angrenzenden Landkreis hatten die Kongregationalisten zwei Kirchen von ungefähr demselben Grad, die von den Werken der Methodist Episcopal Church umgeben waren. Die Vertreter beider Konfessionen kamen zusammen, befassten sich eingehend mit der Angelegenheit und konnten zu einer einstimmigen und herzlichen Entscheidung kommen, die für beide Seiten zufriedenstellend war. Die Methodist Episcopal Church in Benzonia wurde aufgegeben und die Champion Hill Church wurde kongregational. Und die beiden Kongregationskirchen im angrenzenden Landkreis wurden methodistisch, so dass in jedem Landkreis ein freies Feld für jede Konfession übrig blieb, was für beide Seiten sehr vorteilhaft war. Es besteht Einvernehmen darüber, dass keine der Konfessionen in dem so abgetretenen Gebiet Arbeiten durchführen darf.

Es war vergleichsweise einfach, die Angelegenheit mit den Beamten zu klären, es bestanden jedoch einige Zweifel, ob die Kirchen selbst dazu gebracht werden konnten, einer Änderung zuzustimmen. Sie wurden von zwei Vertretern besucht, einer von jeder Konfession, und die ganze Angelegenheit wurde ausführlich erklärt, was zeigte, wie viel besser die Arbeit unter der neuen Regelung erledigt werden konnte, und obwohl es eine gewisse Zurückhaltung seitens einiger starker Anhänger gab Als sie zu ihren alten Kirchenverbänden zurückkehrten, akzeptierten die meisten Mitglieder die Situation und vollzogen freudig den Wechsel. Nachdem sie es ein Jahr lang versucht hatten, schienen sie alle mit ihren neuen Beziehungen sehr zufrieden zu sein, und die ganze Arbeit ist mit neuem Leben und neuer Kraft erfüllt.

Die mit dem Tausch verbundenen Eigentumsinteressen wurden auf sehr erfreuliche Weise angepasst. Alle vier Kirchen verfügten über Gotteshäuser und einige von ihnen über Pfarrhäuser. Zur Bewertung des Anwesens wurde eine Kommission eingesetzt, die aus jeweils zwei Mitgliedern der Kongregations- und der Methodistenkirche von Traverse City bestand. Sie gingen zusammen, untersuchten alle Bestände und erstatteten einen Bericht. Die beiden Methodisten waren der Meinung, dass die Kongregationalisten zusätzlich zweihundertfünfzig Dollar spenden sollten. Die beiden Männer der Kongregation meinten, die Methodisten sollten zweihundertfünfzig Dollar spenden. Sie einigten sich also auf einen ausgeglichenen Handel, und alle Parteien waren zufrieden. Dies gibt den Kongregationalisten unbestrittene Gerichtsbarkeit im gesamten Gebiet der größeren Gemeinde. In der gesamten Region sind sie konkurrenzlos, mit Ausnahme einer kleinen Jüngerkirche in einer Ecke des Feldes, die die Arbeit einer Nachbarschaft zu ihrem großen Nachteil aufteilt. Es gibt viele methodistische Menschen, die innerhalb der Grenzen der größeren Gemeinde leben, aber die meisten von ihnen verbünden sich mit der Kirche, die die Arbeit erledigt, und das Gleiche gilt für die Kongregationalisten. Mittlerweile sind sie mit der Regelung sehr zufrieden.

So können wir die Schritte verfolgen, durch die die Vision Wirklichkeit wurde. Die Arbeit war von Anfang an eine schrittweise Entwicklung, ein Schritt führte zum nächsten, oft mit nicht mehr Licht, als für den einzelnen Schritt ausreichte.

V
DIE METHODEN DER GRÖßEREN PFARRE

PRAKTISCHE Methoden, die erfolgreich angewendet werden können, sind der große Bedarf in jedem Unternehmen. Der wahre Maßstab für den Wert eines Plans oder Vorhabens liegt in dem, was er erreicht. Es sieht vielleicht gut aus – die Vision mag verlockend sein – aber wird es wirklich den Erfolg bringen? Wenn sich nach einem fairen Verfahren keine ausreichenden Erfolge zeigen, um den Aufwand zu rechtfertigen, müssen der Plan, die Methode, die Vision verworfen werden, so vielversprechend sie auch gewesen sein mögen. Eine Mühle, die kein Holz produziert, landet bald auf dem Müllhaufen. Ein Plan, der keine Ergebnisse bringt, wird also bald in der Schwebe unpraktischer und nutzloser Dinge verbannt. Natürlich braucht es Zeit, um einen Plan, ein Unternehmen oder eine Methode zu testen. Ein wichtiges Experiment kann nicht an einem Tag abgeschlossen werden. Aber nach drei Jahren ist es an der Zeit, nach Beweisen für den Erfolg zu suchen. Was müssen wir nach dreijähriger Arbeit vorweisen, das die angewandten Methoden rechtfertigt? Welche Methoden wurden eingesetzt? Wie haben sie gearbeitet und was haben sie erreicht?

Nichts ist fertig. Die Arbeit ist ein Wachstum und befindet sich noch im Entwicklungsprozess. Wir sind ständig auf der Suche nach etwas, das wir für die Menschen tun können, und es eröffnen sich uns immer mehr Möglichkeiten für den Dienst. Aber man kann sagen, dass es über das experimentelle Stadium hinausgegangen ist. Niemand betrachtet es mehr nur als ein Experiment. Es ist ein praktischer Plan für den erfolgreichen Betrieb. Die Kirche hat mittlerweile eine klar definierte Politik. Die Menschen haben die Idee der Großgemeinde angenommen und arbeiten tatkräftig an der Umsetzung mit. Die Arbeit wurde im Hinblick auf verschiedene menschliche Interessen der Gemeinschaft organisiert und verläuft mit einem recht hohen Maß an Zufriedenheit. Wir sind jetzt in der Lage, *einige Güter* zu liefern – zumindest genug, um zu beweisen, dass wir einen praktischen Plan verfolgen; Wir glauben, dass dies genug ist, um eine sichere Prophezeiung für größere Ergebnisse in der Zukunft zu sein.

I. RELIGIÖSER UND EVANGELISTISCHER FORTSCHRITT

Zuerst werde ich über einige angewandte Methoden und einige Dinge sprechen, die einen religiösen Fortschritt zeigen. Dies muss der entscheidende Test jeder kirchlichen Arbeit sein. Es muss eine Arbeit für das Reich Gottes sein. Es muss die Menschen in Einklang mit Gott und seiner Wahrheit bringen, es muss sie auf die Seite Jesu Christi bringen, sonst kann man nicht sagen, dass es erfolgreich ist, wie viele andere wünschenswerte

Dinge es auch erreichen mag. Es ist nicht einfach, spirituelle Ergebnisse tabellarisch darzustellen. Jeder Beweis, der auf dem Papier gemacht werden kann, kann mehr oder weniger als die Wahrheit sein. Berichte über Organisationen sowie Methoden und Aktivitäten können irreführend sein. Das Beste, was sie tun können, ist, sich der Wahrheit anzunähern. Und doch ist dies die einzige Möglichkeit, über spirituelle Ergebnisse zu berichten. Die Ergebnisse der religiösen Arbeit müssen im Leben der Menschen, im christlichen Gefühl der Gemeinschaft, im Aufwärtstrend aller Dinge sichtbar werden, die zur Gerechtigkeit und zur Errichtung und Verbreitung des Reiches Gottes beitragen. Über diese Dinge kann nicht definitiv berichtet werden, es können jedoch einige Dinge erwähnt werden, die auf Fortschritte hinweisen.

Die Arbeit ist in der gesamten Gemeinde ziemlich gut organisiert und schreitet stetig in bestimmte Richtungen voran. In diesem Gebiet, das eine ganze Gemeinde und Teile von fünf weiteren umfasst, gibt es mittlerweile zwölf Orte, an denen regelmäßige Sonntagsgottesdienste abgehalten werden. Diese Gottesdienste finden in einer Kirche, sechs Kapellen, vier Schulhäusern und einem Privathaus statt. Andere Punkte erfordern Dienste, aber mit unserer derzeitigen Stärke können keine weiteren Arbeiten durchgeführt werden. Diese Predigtplätze sind so angeordnet, dass keine Familie, mit Ausnahme einiger weniger, die in einer abgelegenen Ecke der Gemeinde leben, mehr als anderthalb Meilen zurücklegen muss, um einen Ort der Anbetung zu finden. Die Gesamtbesucherzahl bei diesen Gottesdiensten wird bei einer Bevölkerung von 2500 durchschnittlich nicht weit von etwa sechshundert liegen, wobei etwa ein Viertel der Einwohner der Gemeinde mit einiger Regelmäßigkeit anwesend ist.

In der Gemeinde gibt es vier organisierte Kirchen: Benzonia , Grace, Champion Hill und Eden. Ihre Gesamtmitgliederzahl beträgt etwa vierhundert. Als die Kirche letztes Jahr in Eden gegründet wurde, wurden dreißig Mitglieder aus der Benzonia- Kirche entlassen, um der neuen Organisation beizutreten. Sie waren seit langem mit der Benzonia- Kirche verbunden und trennten sich nur mit einigem Widerwillen von der Mutterkirche. Sie wollten in irgendeiner Weise eine Beziehung zur Kirche aufrechterhalten, die für sie so viele innige Assoziationen hervorrief. Deshalb beschlossen sie, dass von ihren fünf Treuhändern zwei aus der alten Zentralkirche ausgewählt werden sollten. Die beiden Kirchen in Grace und Champion Hill dürften diesem Beispiel folgen. In diesem Fall werden wir eine Gruppe von vier organisch verbundenen Kirchen haben, die zusammenstehen, um die Arbeit der größeren Gemeinde zu erledigen. Die Treuhänder der Ortskirche kümmern sich um alle gewöhnlichen Angelegenheiten, können aber auch die anderen beiden Treuhänder hinzuziehen, um sich in Angelegenheiten von besonderer Bedeutung mit ihnen zu beraten. Die Treuhänder der Zentralkirche fühlen sich natürlich besonders für das Wohl der Filialkirche verantwortlich, mit der sie verbunden sind. Diese Regelung wird alle religiösen Aktivitäten der Pfarrei vereinen und sie in einer organischen Beziehung miteinander verbinden. Und die Kirchen, die der Vereinbarung beitreten, werden nichts von ihrer Unabhängigkeit als Kongregationskirchen aufgeben. Sie werden weiterhin die völlige Freiheit haben, ihre eigenen Angelegenheiten zu regeln. Es versteht sich, dass das Amt der Treuhänder der Zentralkirche überwiegend beratender Natur ist. Obwohl dies etwas Neues im Kongregationalismus ist, verspricht es, gut zu funktionieren, und wenn ja, wäre es eine ausreichende Rechtfertigung dafür.

In der Gemeinde gibt es zehn Sonntagsschulen mit insgesamt etwa sechshundert Mitgliedern. Die meisten Schulen sind selbsttragend und können ihre Arbeit auch ohne fremde Hilfe erledigen, einige werden jedoch von Helfern geleitet, die von der Zentralkirche ausgehen. Die Schulen in Benzonia und Eden verfügen über gute Noten und werden nach modernsten Methoden geführt. Die Benzonia- Schule hat eine durchschnittliche Besucherzahl von mehr als 150 und die Musik wird von einem großen Orchester geleitet. Die Eden-Schule hat zwei Klassen in der Lehrerausbildung abgeschlossen, und die dritte Klasse mit siebzehn Mitgliedern ist jetzt im Einsatz. Das Home Department wird beibehalten und viel Wert auf die Cradle Roll gelegt. Einmal im Quartal finden Treffen mit den Schulen in den beiden angrenzenden Townships statt, die viel dazu beitragen, die Interessen der Sonntagsschulen in dieser Region zu bündeln und die Teamarbeit zu fördern.

Der Geistliche, der die Arbeit in der gesamten Pfarrei fortführt, besteht aus dem Pfarrer und seinen beiden Assistenten. Der Pfarrer predigt am Sonntag zweimal, morgens in der Kirche von Benzonia und abends in der Kapelle in Beulah, eine halbe Meile entfernt. Jeder der Assistenten predigt dreimal und legt dabei zwischen zwölf und zwanzig Meilen zurück, um seinen Termin zu erreichen. Die größere Gemeinde gliedert sich natürlich in drei Teile: die Nordgemeinde mit zwei Kirchen und zwei Außenstationen, die von Herrn Caldwell betreut werden; die Südgemeinde mit einer Kirche und fünf Außenstationen, betreut von Herrn Huck; und dazwischen Benzonia und Beulah, betreut vom Pfarrer, der auch die Aufsicht über das gesamte Feld hat.

Die drei Pfarrer treffen sich meist montags, besprechen die Arbeit, vergleichen Predigten und diskutieren sie und verbringen einen Teil des Tages in herrlichster Gemeinschaft. Sie tauschen sich häufig aus, indem sie sonntags die Arbeit des anderen übernehmen, so den Menschen Abwechslung und sich selbst etwas Abwechslung bieten und Kennenlernen und Gemeinschaft in der gesamten Gemeinde fördern. Dies ist eine höchst profitable Kombination. Der ältere Pastor hilft den jüngeren Männern mit seiner umfassenderen Erfahrung, und „die Jungen" bringen neues Leben und frischen Geist in das Herz des „älteren Mannes". Wenn zwei Männer sympathisch sind und harmonisch zusammenarbeiten können, sind sie mehr als doppelt so viel wert wie ein Mann. Und drei Männer, die ihre Kräfte bündeln, steigern ihre Effizienz im geometrischen Verhältnis. Manch ein Geistlicher, der isoliert und entmutigt arbeitet, würde neuen Mut und Mut für seine schwierige Aufgabe haben, wenn er mit ein oder zwei kongenialen und verwandten Geistern eng verbunden wäre. Das ist einer der Vorteile des Larger Parish Plan – er ermöglicht eine solche Verbindung und Kombination.

Im Herbst 1912 kam dem Pfarrer der Gedanke nahe, in diesem Jahr den besonderen Schwerpunkt auf die evangelistische Phase des Werkes zu legen. Insgesamt wurden dreizehn Wochen damit verbracht, an sechs verschiedenen Orten Sondergottesdienste abzuhalten. Zwei Pfarrer aus Nachbargemeinden halfen mit. Das Stereoptikon wurde häufig genutzt. In den Außenstationen wurde die Predigt abwechselnd von den Pfarrern durchgeführt, und es gab gründliche persönliche Arbeit. Bei diesen Treffen wurden gute Ergebnisse erzielt. Viele entschieden sich, das christliche Leben zu beginnen. Etwa sechzig neue Mitglieder wurden in die Benzonia- Kirche aufgenommen und ebenso viele weitere in die anderen Kirchen der Gemeinde. Nicht alle der empfangenen Personen wurden in den Sondersitzungen konvertiert. Dreißig von denen, die in die Eden-Kirche kamen, wurden aus der Benzonia- Kirche entlassen , und einige andere kamen per Brief. Eines der Ergebnisse dieser Sondertreffen war die Gründung der Eden-Kirche. Die Herzen der Menschen schlossen sich zusammen, das religiöse Interesse wurde im gesamten Gebiet geweckt und die Idee der größeren Pfarrei fand allgemeinere Akzeptanz.

Eden ist ein ländliches Viertel, drei Meilen nördlich von Benzonia . Die Menschen sind sparsame Bauern und Obstzüchter, und etwa ein Dutzend dort lebende Familien waren seit vielen Jahren mit der Benzonia- Kirche verbunden und zählten zu ihren treuesten Unterstützern. Fünfundzwanzig oder dreißig Jahre lang gab es in dieser Gemeinde eine Sonntagsschule – eine der besten Landschulen des Staates. Auch ein Jugendverein und ein wöchentliches Gebetstreffen gab es schon lange. Die Sondertreffen fanden im Februar im Schulhaus statt, inmitten des stürmischsten Wetters des Winters. Doch nichts konnte die Menschen fernhalten. Es gab großes Interesse und eine Reihe positiver Konvertierungen. Man hielt es für das Beste, eine Kirche zu gründen. Dreißig Mitglieder wurden aus der Benzonia -Kirche entlassen, um der neuen Organisation beizutreten, und sie begann mit fünfzig Gründungsmitgliedern. Praktisch alle religiösen Elemente der Gemeinschaft kamen in der neuen Kirche zusammen und sie wurde mit großer Freude und Begeisterung eröffnet. Unter der effizienten Leitung des Hilfspastors ging es stetig voran, und obwohl die Treffen in einem Schulhaus abgehalten werden, das für ihre Bedürfnisse höchst ungünstig und ungeeignet ist, sind sie genauso würdevoll und kirchlich wie viele, die in einer angemesseneren Umgebung abgehalten werden. Es gibt einen umfassenden Gottesdienst mit Lesungen, Antworten und gut vorbereiteter Musik durch einen treuen Chor, und die Gegenwart und Kraft des Geistes Gottes kommt in den Gottesdiensten oft eindrucksvoll zum Ausdruck. Am beeindruckendsten waren die Anerkennungsgottesdienste der Eden-Kirche. Das Schulhaus war bis zum Äußersten überfüllt. Fast fünfzig standen gemeinsam auf und schlossen Bündnisse, viele davon empfingen den Ritus der Taufe. Der vom Pfarrer geleitete Abendmahlsgottesdienst war besonders feierlich und zärtlich und die Anwesenden werden sich noch lange an die Einflüsse dieser Stunde erinnern.

In einer Reihe von Fällen wurden die Gottesdienste in Schulgebäuden abgehalten, die unbequem und ungeeignet waren, und in einem Fall war der einzige Ort, an dem die Treffen abgehalten werden konnten, ein Privathaus. Eine Bewegung ist im Gange, um diese Orte mit Kapellen zu versorgen, die den Bedürfnissen der Gemeinde gerecht werden. Letzten Sommer wurde am Platt Lake eine hübsche Kapelle gebaut. In dieser Gemeinde gibt es kein Schulhaus. Die Kinder werden mit einem Bus zur Honor-Schule gebracht, und mehr als zwei Jahre lang gab es keinen festen Treffpunkt, die Gottesdienste wurden abwechselnd von Haus zu Haus abgehalten. Platt Lake ist so etwas wie ein Sommerurlaubsort und die Besucher leisteten erhebliche Hilfe beim Bau der Kapelle. Es ist ein praktisches kleines Gebäude, gut eingerichtet, mit Orgel und Ofen, die von der Benzonia - Kirche beigesteuert wurden. Da es an diesem Ort keine kirchliche Organisation gibt, liegt der Titel des Gebäudes bei der Michigan State Conference, mit der Maßgabe, dass bei der Gründung einer Kirche diese zurückgegeben werden soll. Seit der Errichtung der Kapelle hat die Arbeit in Platt Lake neue Impulse erhalten. Zu diesem Zeitpunkt fanden noch nie regelmäßige Gottesdienste statt, bis die Bewegung der größeren Gemeinde begann.

DIE PLATT-SEEKAPELLE

Ein typischer Predigtort in der größeren Gemeinde

Die Eden-Kirche plante im Sommer 1914 den Bau eines neuen Gebäudes in Form einer komfortablen Kapelle mit Kellerräumen für soziale Zwecke. Zu Beginn des Frühjahrs 1913 legten die Bauern einen bestimmten Teil ihres Landes ab, dessen Erträge einem Kapellenfonds zugeführt werden sollten. Ungefähr fünfzehn Bauern schlossen sich dieser Vereinbarung an, wobei die Kinder zu diesem Zweck auch Hühner züchteten und Gartenbeete bewirtschafteten. Am Thanksgiving-Abend dieses Jahres gab es im Schulhaus einen besonderen Gottesdienst, bei dem die Rückgaben abgeholt wurden. Zu diesem Anlass wurde ein hübsches Modell einer Kirche angefertigt und auf den Schreibtisch gelegt, und nach einem interessanten Programm gingen die Leute am Schreibtisch vorbei und warfen den Erlös ihrer Sommerarbeit in die Modellkirche. Es wurde festgestellt, dass es mehr als zweihundertfünfzig Dollar enthielt – ein guter Anfang für das neue Gebäude. Obwohl die Ressourcen der Gemeinde begrenzt sind, arbeiten sie alle mit so viel Fleiß und Begeisterung zusammen, dass es wahrscheinlich ist, dass sie bald ein angenehmes und praktisches Kirchenheim haben werden.

In North Crystal, wo es eine florierende Sonntagsschule gibt und die Gottesdienste in einem Privathaus abgehalten werden, arbeiten die Menschen hart daran, eine kleine Kapelle zu bauen. Auch hier sind die Urlauber , die ihre Ferienhäuser am Ufer des Crystal Lake haben, sehr hilfreich. Im Sommer finden die Treffen unter den Bäumen statt und große Menschenmengen kommen zusammen, um das Evangelium zu hören und in die Lieder einzustimmen. Die Ladies' Aid Society arbeitet hart und hat bei der Sammlung eines Kapellenfonds erhebliche Fortschritte gemacht.

Ressourcenknappheit kann die Verwirklichung eines solchen Unternehmens kaum verhindern, wenn sich alle Menschen so herzlich und opferbereit für das angestrebte Ziel vereinen. Die Kirche in Benzonia hat auch einen Anbau an ihr Gotteshaus gebaut und einhundert Sitzungen sowie zahlreiche Räume für die Unterbringung der Sonntagsschule und der Sozialarbeit hinzugefügt. Man hätte es als voreilig angesehen, wenn man im Voraus prophezeit hätte, dass in dieser Gemeinschaft mit ihren begrenzten Mitteln in zwei Jahren eine so große Summe für die Bereitstellung von Räumlichkeiten für den Gottesdienst und für die Gemeinschafts- und Sozialarbeit aufgebracht werden könnte.

Wenn der Geldbetrag, den Menschen bereit sind, für religiöse Zwecke zu geben, ein Indikator für ihr Interesse am Königreich ist, muss man schlussfolgern, dass es in dieser Hinsicht in der gesamten größeren Gemeinde eine sehr bedeutende Wiederbelebung gegeben hat. Es sind jetzt mehr Mittel zur Fortführung der Arbeit in Sicht, als irgendjemand vor drei Jahren für möglich gehalten hätte.

Die Gehälter des Pfarrers und seiner beiden Assistenten sind zweieinhalb Mal so hoch wie die Gehälter, die dem Pfarrer allein gezahlt wurden, bevor die umfassendere Arbeit aufgenommen wurde. Dies ist jedoch nur durch die Hilfe der Home Missionary Society möglich. Die Beiträge für Inlands- und Auslandseinsätze haben sich in diesem Zeitraum mehr als verdoppelt, die Zahl der Beitragszahler hat sich mehr als verdoppelt. Wenn aufgrund der damit verbundenen erhöhten finanziellen Belastung Bedenken hinsichtlich der Durchführung der umfassenderen Arbeiten bestanden, hat die Erfahrung gezeigt, dass dies unnötig war. Mittlerweile wird auf dem gesamten Gebiet mehr als doppelt so viel Geld gesammelt wie vor Beginn der umfassenderen Arbeit, und das mit ebenso geringem Aufwand. Niemand hat jetzt aus finanziellen Gründen Einwände gegen die Arbeit. Es hat sich in jeder Hinsicht bezahlt gemacht.

Diese Erfahrung lässt mich glauben, dass es in fast jedem Bereich ausreichende Ressourcen gibt, um alle dort zu erledigenden Arbeiten durchzuführen, wenn sie nur erreicht werden können, und ich bin auch davon überzeugt, dass ein aktives, aggressives Programm viel mehr bewirken wird Erfolgreicher bei der Entwicklung der Ressourcen, als ein zaghafter und konservativer Versuch jemals sein kann.

Um die Einheit und Gemeinschaft in der gesamten Gemeinde zu fördern, werden gelegentlich Treffen abgehalten, die alle Menschen zusammenbringen und sehr gute Ergebnisse erzielen. Zwei- bis dreimal im Jahr fallen alle Gottesdienste an den verschiedenen Orten aus und die Menschen kommen auf dem wunderschönen Campus auf dem Benzonia-Hügel zusammen und verbringen den Tag im Gottesdienst und im geselligen

Austausch. Die Gottesdienste finden im Schatten der großen Buchen und Ahornbäume statt, die den Gipfel des Hügels krönen. Es gibt einen großen Chor und ein großes Orchester, die die Musik leiten, ein bekannter Redner aus dem Ausland hält die Predigt und die Gemeinde von vier- oder fünfhundert Personen ist so fromm und aufmerksam, wie man sie in keinem anderen Kirchengebäude finden kann. Am Ende des Gottesdienstes versammeln sie sich in Gruppen, um das mitgebrachte Mittagessen zu sich zu nehmen. Der Kaffee wird von den Benzonia -Leuten bereitgestellt, und sie verbringen zwei Stunden in angenehmer geselliger Runde, wobei sich dort viele alte Freunde und Nachbarn treffen, die sie sonst vielleicht nicht sehen würden einander seit Jahren. Am Nachmittag findet eine Plattformbesprechung mit einer Reihe von Rednern statt, und während die Sonne im Westen tief sinkt, zerstreuen sich die Menschen und gehen ruhig zu ihren Häusern, mit einer größeren Perspektive, einem beschleunigten Gemeinschaftsbewusstsein und einer umfassenderen Wertschätzung für das Arbeit der Großgemeinde. Letztes Jahr veranstalteten wir an einem Sabbat die „Große Gemeinde-Sonntagsschulkundgebung". Zuvor waren Plakate verteilt worden, die das Treffen ankündigten. Alle zehn Schulen der Gemeinde versammelten sich, hielten am Morgen einen solchen Gottesdienst ab, wie ich ihn beschrieben habe, aßen gemeinsam zu Abend, und am Nachmittag fanden die Kindertagsgottesdienste mit Übungen der verschiedenen Schulen und einer Ansprache von John E. Gunckel statt . der berühmte Zeitungsjunge aus Toledo. Diese größeren Gemeindekundgebungen haben sich als wertvoller Bestandteil der Arbeit erwiesen und werden von allen Menschen mit Freude erwartet.

Ich frage mich, ob jemals ein Pastor mit den Ergebnissen seiner Arbeit völlig zufrieden war? Das tue ich ganz sicher nicht. Ich bin weit hinter meinem Ideal zurückgeblieben. Wenn ich zurückblicke , sehe ich genug Misserfolge, die mich demütig halten, und genug Fehler, die mich vorsichtig machen. Die Zahl der Unerreichten ist so groß, dass sich beim Gedanken daran viel Traurigkeit mit der Freude für diejenigen vermischt, die in das Königreich gekommen sind. Ich bin dankbar für die Ergebnisse, die gemeldet werden können, und ich halte sie für ausreichend, um die Methode der größeren Gemeinde zu rechtfertigen. Wenn die Methode effizienter angewandt worden wäre, hätte es mehr zu zeigen gegeben. Ich hoffe, dass jemand davon besser Gebrauch macht und dass solche Ergebnisse offensichtlich werden, dass die Methode der größeren Gemeinden allgemein zum Einsatz kommt und dass sie eine große Rolle bei der spirituellen und sozialen Sanierung der ländlichen Regionen spielen kann.

II. GEMEINSCHAFTSAUFSCHWUNG UND SOZIALE VERBESSERUNG

Eine der Überzeugungen, aus denen die Vision entstand, die zur Arbeit der Großgemeinde führte, war, dass die Kirche dem *ganzen Menschen dienen sollte* ; dass nichts, was einen Menschen zu einem vollwertigen Mann macht oder einen legitimen Platz in seinem Leben einnimmt, von der Kirche ignoriert werden sollte; dass es etwas zu sagen und etwas mit seiner sozialen Natur sowie seiner religiösen Natur zu tun haben sollte; dass es sich um die Angelegenheiten der Gemeinschaft kümmern und ein Element erhebender Kraft im Gemeinschaftsleben sein sollte. Dieser Überzeugung folgend war es ganz natürlich, dass bei der Arbeit der größeren Pfarrei dem Teil des Lebens der Menschen, von dem oft angenommen wird, dass er außerhalb des besonderen Bereichs der Religion liegt, große Aufmerksamkeit geschenkt werden sollte. Es wurden Anstrengungen unternommen, um den Menschen auf soziale Weise zu helfen und ihre Freizeitaktivitäten gesund und gesundheitsfördernd zu gestalten, sie in ihrem intellektuellen Leben anzuregen und anzuleiten und durch diese umfassenderen Ziele alle ihre Bedürfnisse zu erfüllen. Es kann nützlich sein zu zeigen, wie die in der Arbeit der größeren Gemeinde verwendeten Methoden zu diesen Zielen beigetragen haben.

Da wir die Tendenz des Landlebens zur Isolation und zum extremen Individualismus und die Gefahr seiner Unfruchtbarkeit und Eintönigkeit erkannt haben, hielten wir es für wichtig, für soziale und literarische Funktionen sowie für gesunde Erholung und gesunde Freuden zu sorgen. Dies wurde nicht nur für die jungen Leute, sondern für alle Menschen als wünschenswert erachtet, und wir haben versucht, bei diesen Aktivitäten Alt und Jung und auch die Kinder zusammenzubringen. Wir haben uns bemüht, alle unsere Außenstationen, an denen Gottesdienste abgehalten werden, zu sozialen Zentren zu machen und regelmäßige Treffen der Menschen zu fördern, bei denen sie sich in freier und freundlicher Weise treffen können. Die Menschen haben auf diese Bemühungen reagiert und die Möglichkeiten, die ihnen in dieser Richtung geboten wurden, sehr geschätzt.

1. In einigen Außenstationen wurden Nachbarschaftsclubs gegründet, deren Aufgabe es ist, für diese sozialen Bedürfnisse zu sorgen. Der Name „Neighborhood Club" definiert ihr Ziel recht gut. Sie sollen als soziale Zentren dienen. Es gibt eine einfache Verfassung und Satzung sowie die üblichen Amtsträger. Die Arbeit wird jedoch unter der Leitung von drei Ausschüssen in drei Abteilungen fortgeführt. Erstens gibt es einen Sozialausschuss, dessen Aufgabe es ist, Picknicks, Partys, gesellige Treffen, Ausflüge usw. zu organisieren. Dann gibt es einen Literaturausschuss, der für literarische Unterhaltungen, Vorträge, Debatten und dergleichen sorgt. Danach kommt das Team-Arbeitskomitee, das bei allen Aktionen an der Spitze steht, bei denen die Menschen zusammenarbeiten müssen , etwa einem unglücklichen Nachbarn bei der Ernte zu helfen, Bäume am

Straßenrand zu pflanzen, im Winter die Straßen auszupflügen oder ein Problem zu reparieren Platz auf der Autobahn. Oft werden viele gute Taten unterlassen und viele wünschenswerte Dinge für eine Gemeinschaft unterlassen, nicht weil die Menschen egoistisch sind oder es ihnen an Gemeinsinn mangelt, sondern weil es ihnen an Führung mangelt. Es gibt niemanden, der in solchen Dingen die Führung übernehmen kann, und deshalb werden sie vernachlässigt.

Vor nicht allzu langer Zeit verbrachte einer der Nachbarschaftsclubs den Tag damit, beim Aufbau einer Scheune zu helfen, gemeinsam zu Abend zu essen und eine fröhliche gesellige Zeit zu genießen. Einer der Clubs hatte einen Preis für das Rattentöten ausgelobt und einige Poster herausgebracht, die eine Kuriosität darstellten. Von Zeit zu Zeit werden im Club verschiedene Themen von lokalem Interesse aufgegriffen und diskutiert, und an unerwarteten Orten hat sich ein beträchtliches Talent für Debatten entwickelt. Gelegentlich treffen sich die verschiedenen Nachbarschaftsvereine zu einem Tag voller Sport und Erholung. Am Vormittag gibt es Spiele und Wettbewerbe, dann ein Picknick-Abendessen, gefolgt von einem Programm mit Musik und Ansprachen. Diese Zusammenkünfte fördern die Nachbarschaft und bieten den Bauern und ihren Frauen und Kindern eine kleine Pause in der Monotonie ihres mühsamen Lebens.

Im ersten Winter wurde ein Vorlesungskurs organisiert, bestehend aus fünf oder sechs Nummern, meist von einheimischen Talenten. Alle diese Vorträge wurden vor den verschiedenen Clubs gehalten. Der Pfarrer berichtete von seinen Reisen im Heiligen Land. Der Direktor der Akademie sprach über „Der Bauernhof und die Schule". Ein Arzt aus einer Nachbarstadt sprach über „Hygiene auf dem Bauernhof" und ein erfahrener Gärtner über „Bessere Obstgärten". Ein Laie sprach über „Einige Rechtsgrundsätze, die allgemein bekannt sein sollten". Diese Vorträge stießen auf großes Interesse, und die Menschen kamen gern, um ihnen zuzuhören. Im nächsten Winter stellten die Vereine ihre eigenen Programme zusammen und führten eine lebhafte und interessante Kampagne durch. Einer der Clubs veranstaltete eine Reihe von Spezialthemenabenden. Ein Abend war „Die Pilger" mit einem abwechslungsreichen und interessanten Programm gewidmet. Ein anderer ging an „Abraham Lincoln", ein anderer an „Michigan", mit einem Programm voller historischer, statistischer und sonstiger Informationen über den Zustand, zu dem die Gemeinde gehörte. Einer der Clubs organisierte und unterhielt eine altmodische Gesangsschule unter der Leitung eines Lehrers aus dem Dorf, die ein voller Erfolg war. Diese Nachbarschaftsclubs haben sich als sehr beliebt und sehr wertvoll erwiesen, und es scheint, dass sie sich gut an fast jede ländliche Gemeinschaft anpassen und die alten Lyzeen und Literaturgesellschaften einer früheren

Generation ersetzen, die so viel dazu beigetragen haben, den Verstand zu schärfen , informieren Sie die Köpfe und steigern Sie die Freundlichkeit derjenigen, die vor uns gingen.

2. In einigen Vierteln, in denen es noch nicht für das Beste gehalten wurde, Vereine zu gründen, wurde diesem Aspekt des Lebens etwas Aufmerksamkeit geschenkt und für soziale Abwechslung gesorgt. Während der Thanksgiving-Woche fanden an drei verschiedenen Orten Feste statt, die sehr erfolgreich und profitabel waren. Die Beschreibung eines von ihnen wird typisch sein. Drei Gemeinden, East Joyfield , Demerley und South Chapel, haben sich zusammengeschlossen, um am Erntedankfest ein Fest im Rathaus von Joyfield abzuhalten. Es seien gründliche Vorbereitungen getroffen worden. Es wurden verschiedene Ausschüsse eingesetzt, die Lehrer in den vier Schulbezirken dieses Gebiets schulten die Kinder, es wurde ein Programm mit Spielen, Sportarten und Wettbewerben zusammengestellt, und alle Menschen zeigten großes Interesse an der Vorbereitung auf die Veranstaltung. Um drei Uhr fand in der Halle ein Gottesdienst statt, und der Pfarrer hielt vor einer großen und aufmerksamen Gemeinde eine Erntedankpredigt.

wurde auf dem Rasen das Sportprogramm beendet, von dem ein Teil zuvor in einer großen Scheune in der Nähe stattgefunden hatte . Es wurden verschiedene Rennen gefahren und Stunts verschiedener Art vorgeführt, darunter ein Tauziehen und Ringkämpfe, die Zeit in Anspruch nahmen, bis der Ruf zum Abendessen kam. Zwei lange Tische, die sich über die gesamte Länge des Saals erstreckten, waren zweimal besetzt, nicht weniger als einhundertfünfzig saßen zu einem üppigen Festmahl. Als alle die Bedürfnisse des „inneren Menschen" befriedigt hatten, waren noch genug Vorräte übrig, um eine weitere, fast ebenso große Menschenmenge zu ernähren, so verschwenderisch sind die Landbewohner in ihrer Gastfreundschaft.

Sobald die Tische abgeräumt waren und die Leute Platz nehmen konnten, begann die Abendunterhaltung. Der Saal war bis zum Äußersten überfüllt, die Leute waren zusammengepfercht wie Sardinen in einer Kiste, und einige konnten keinen Einlass finden, aber die größte Gutmütigkeit siegte, und sie saßen nicht geduldig, sondern erfreut bei einem Programm von Rezitationen. Dialoge, Lieder und ähnliche Übungen der Kinder, die zwei volle Stunden in Anspruch nehmen. Dann erfolgte die Verteilung der Preise an die Gewinner der Spiele, und die fröhliche Menge zerstreute sich, war freundlicher zueinander und verspürte noch mehr die Freude der Nachbarschaft, weil sie bei ihrem Erntedankfest zusammengekommen waren. Ähnliche Feste fanden am Tag zuvor in Grace und am Tag danach in Liberty Union statt. Sie wurden alle von Herrn Huck, dem stellvertretenden Pfarrer, der gerade aus England stammt, konzipiert und durchgeführt und stellten damit seine Effizienz und Anpassungsfähigkeit unter Beweis.

3. An einem verschneiten Samstag veranstalteten die Männer von East Joyfield unter der Leitung des Hilfspastors „Eine gemeinschaftliche Kaninchenjagd". Sie trafen mit ihren Waffen aufeinander und gingen paarweise in verschiedene Richtungen, um die Wälder und Felder auf der Suche nach Wild abzusuchen. Sie waren messbar erfolgreich, und ein Haufen von 45 „Baumwollschwänzen" belohnte ihre Bemühungen. Sie wurden an fünfzehn Familien verteilt, die sie mit anderen guten Dingen für ein „Rabbit Social" am nächsten Dienstagabend in der Kapelle vorbereiten sollten. Obwohl die Nacht stürmisch war, war die Kapelle gut gefüllt, es gab ein schönes Programm mit Musik und Spielen und anschließend ein Festmahl mit Kaninchenkuchen, das appetitlich und reichlich war. Die „Baumwollschwänze" dienten der Gemeinschaft also besser, wenn sie selbst gegessen wurden, als wenn sie die Rinde der jungen Obstbäume auf den umliegenden Bauernhöfen fressen müssten.

4. Da das Streben nach Leichtathletik in den Köpfen junger Menschen heutzutage einen so großen Stellenwert einnimmt, wurde es für lohnenswert erachtet , in diesem Bereich etwas zu unternehmen. Einer der Hilfspastoren, der in der Schule eine gewisse Ausbildung absolviert hatte, organisierte Sportvereine für Jungen und junge Männer in sechs oder sieben verschiedenen Stadtteilen. Diese Clubs trafen sich von Zeit zu Zeit zum Training . Sie wurden zu einer Sportliga für die gesamte Gemeinde zusammengefasst und veranstalteten gelegentlich Feldtage. Sie kamen auf dem Campus der Akademie in Benzonia zusammen und verbrachten den Tag mit Sport, Spielen und Wettbewerben, bei denen ein zuvor vorbereiteter Veranstaltungsplan durchgeführt wurde. Für die Jungen gab es Nachwuchswettbewerbe und auch die Mädchen nahmen am letzten Feldtagsport teil . Gelegentlich gibt es ein Bankett mit Trinksprüchen und Gelegenheit zum geselligen Beisammensein. Diese Sportvereine haben nicht nur viel getan, um sauberen und gesunden Sport zu fördern, sondern sie haben dem Hilfspastor auch großen Einfluss auf die jungen Leute gegeben, und die meisten von ihnen nehmen bemerkenswert regelmäßig an den Gottesdiensten teil, die er am Sabbat hält.

In den verschiedenen Stadtteilen sind Damenhilfsvereine organisiert, die auf gesellige Weise nicht nur die Damen, sondern im Winter auch die Herren zusammenbringen, die dann Zeit finden, das gute Abendessen der Damen zu genießen und etwas zu verbringen des Tages im sozialen Verkehr. Diese Hilfsorganisationen sind bereit, jedes Unternehmen, das dem Wohl der Gemeinschaft dient, hilfreich zu ergreifen, und jedes Unternehmen, dem sie sich widmen, ist zum Scheitern verurteilt.

5. Eine weitere Arbeitsweise hat sich als wertvoll und lohnenswert erwiesen
. Wie fast alle Kleinstädte haben wir eine Wochenzeitung, die in den meisten
Haushalten der Gemeinde ihren Weg findet. Der Pfarrer und der
Herausgeber arbeiten gemeinsam daran, es zu einem hilfreichen Kraftorgan
im Gemeindeleben zu machen. In den letzten drei Jahren hatte ich jede
Woche eine Kolumne – normalerweise anderthalb Kolumnen – in dieser
Zeitung. Es ist meine reguläre Arbeit am Montagvormittag, diese Kolumne
zu schreiben. Ich setze alles ein, von dem ich denke, dass es den Menschen
nützlich sein wird, und überbringe ihnen so manche Botschaft, die kaum
angemessen auf die Kanzel gelangen würde, und erreiche auf diese Weise
viele, mit denen ich sonst nicht oft in Kontakt käme. Die Themen sind
vielfältig, einige können als Muster dienen. „Wie man seine Religion behält
und dafür sorgt, dass sie sich auszahlt", „Der Hinterhof", „Der Test des
Sommers", „Der Mann, dem man zufällig begegnet", „Der Nutzen des
Schreis", „Die Hochzeitsglocken und das Begräbnis." Knells", „Dr. Charles
M. Sheldon und seine Vorstellungen von einem gebildeten Mann", „Be a
Columbus", „The Keen Lebensfreude". Jedes lokale Thema von
allgemeinem Interesse wird aufgegriffen und diskutiert, und die Aktivitäten
der Kirche sowie das soziale und literarische Geschehen in den
verschiedenen Außenstationen werden der Bevölkerung vor Augen geführt.
So sind sie ständig darüber im Bilde, dass in der gesamten Gemeinde etwas
Sinnvolles vor sich geht , und ich habe die Möglichkeit, meine Ideen der
gesamten Gemeinde vorzustellen. Dies halte ich für eine meiner wertvollsten
Arbeitsweisen, und ich finde, dass die Pastor's Column eifrig gesucht und
weithin gelesen wird.

Dies wirft die Frage auf, ob die Pfarrer unserer Kirchen in der Vergangenheit
den Wert der Druckertinte als Hilfsmittel bei der Durchführung religiöser
und gemeinschaftlicher Arbeit ausreichend erkannt haben. Wenn der Pastor
sowohl durch die Presse als auch durch die Kanzel sprechen kann,
verdoppelt er seinen Einfluss.

6. Die Benzonia Christian Endeavour Society kaufte ein Stereoptikon für den
Einsatz in der größeren Gemeinde. Es war mit elektrischen Geräten für den
Einsatz in den Dörfern und mit Acetylenlicht für die Schulhäuser und
Landplätze ausgestattet, wo es keinen Strom gab. Es konnte leicht von Ort
zu Ort getragen werden und wurde zu einem sehr praktischen und nützlichen
Instrument bei der Arbeit. Folien zu verschiedenen Themen konnten leicht
beschafft werden und die Wirkung von Vorträgen und Vorträgen wurde
deutlich gesteigert. Die Menschen wollen heutzutage Dinge nicht nur sehen,
sondern auch davon hören, und der Anblick unterstützt das Hören. Sie
werden nie müde, gute Bilder anzuschauen. Mit Hilfe der Laterne war es
einfach, für eine interessante und gewinnbringende Abendunterhaltung zu
sorgen, und die Menschen zeigten ihre Wertschätzung durch ihre große

Anwesenheit und ihre sorgfältige Aufmerksamkeit. So wurden „Der Panamakanal" und „Der andere Weise" vorgestellt und illustriert. Einige Vorträge des Pfarrers – „ Zu Pferd durch das Heilige Land", „Eine Woche in und um Jerusalem", „Drei Monate auf einem Ozeandampfer" – wurden durch Ansichten von Fotos, die auf einer Auslandsreise aufgenommen wurden, anschaulicher und attraktiver. In vielerlei Hinsicht hat sich das Stereoptikon als wertvolle Anschaffung erwiesen, und besonders in einer Landgemeinde kann es mit großem Gewinn und Zufriedenheit eingesetzt werden.

7. In einer lokalen Optionskampagne machte sich der Einfluss der größeren Gemeinde wirkungsvoll für die Verbannung des Saloons bemerkbar. In den Nachbarschaftsclubs wurden Debatten über diese Frage geführt.

Die Pfarrer predigten zu diesem Thema und hielten Ansprachen bei den Versammlungen im ganzen Landkreis. Einer der Hilfspastoren leistete im Zentralkomitee wertvolle Dienste. In allen solchen Bewegungen, deren Ziel es ist, die Gemeinschaft zu reinigen und Gerechtigkeit herzustellen, sind die Kräfte, die in der größeren Gemeinde tätig sind, auf der rechten Seite aufgestellt, bereit zur Zusammenarbeit und sofort für die praktische Arbeit verfügbar .

eine Kampagne für alle Mitglieder für Missionen im In- und Ausland durchgeführt. Jedes Jahr wird ein Brief erstellt, der kurz den Fortschritt der Arbeiten im vergangenen Jahr darlegt und den aktuellen Stand darlegt. Diese Briefe werden per Post an fast alle Familien in der Gemeinde verschickt, mit kleinen Sammelumschlägen für die verschiedenen Mitglieder des Haushalts, mit der Bitte, die Opfergaben zu ihren gewohnten Gotteshäusern zu bringen. Sowohl die Kinder als auch die älteren Menschen werden ermutigt, ihre Opfergaben einzubringen, und wir haben festgestellt, dass dies eine wirksame Möglichkeit ist, in ihnen den Geist des Wohlwollens zu kultivieren. Es ist von großem Nutzen, ihnen das Gefühl zu vermitteln, dass sie an der Arbeit beteiligt sind.

VI
Dinge, die noch erledigt werden müssen

IHR Name ist Legion. Alles ist zu erledigen. Es ist nur ein Anfang gemacht. Nichts ist fertig. Was erreicht wurde, ist nur eine Prophezeiung der größeren und umfassenderen Arbeit, die in der Zukunft vor uns liegt. Religiöse und gemeinschaftliche Arbeit ist kein mechanischer Vorgang. Man kann es nicht fertigstellen und verstauen, wie der Zimmermann eine Kiste fertigstellt oder die Hausfrau ein Kleidungsstück. Das Leben ist eine Entwicklung, ein Wachstum, und wer sich mit dem Leben beschäftigt, muss sich immer mit Anfängen zufrieden geben. „Nichts, was Leben hat, ist jemals fertig." Das Leben in seiner größeren Entfaltung und seiner umfassenderen Bedeutung muss immer in der Zukunft liegen. Ein abgeschlossenes und vollständiges Leben sollte besser enden, und eine Gemeinschaft, die Vollkommenheit erreicht hat, sollte in eine andere Sphäre übertragen werden. Wir müssen uns immer damit zufrieden geben, unsere Arbeit in Anfänge zu stecken, dankbar für die Früchte, die sich von Zeit zu Zeit zeigen. Die eigentliche Sammlung muss immer in der Zukunft liegen. Was in der größeren Gemeinde erreicht wurde, gibt uns Vertrauen in die angewandten Methoden und ermutigt uns, von der besseren und vollständigeren Anwendung dieser und ähnlicher Methoden in den kommenden Tagen Größeres zu erwarten.

Es ist vielleicht sinnvoll, einige der Dinge zu erwähnen, die noch nicht vollständig erledigt sind, von denen wir aber hoffen, dass sie in Zukunft in der größeren Gemeinde erreicht werden.

1. Das erste und wichtigste Ziel dieser Arbeit und aller kirchlichen Arbeit ist es, Menschen in das Reich Gottes zu bringen. Alle Sozial- und Gemeinwesenarbeit muss sich diesem unterordnen und darauf hinführen. Die Kirche muss mehr sein als eine soziale Siedlung. Ich halte immer noch an der altmodischen Vorstellung fest, dass Menschen gerettet werden müssen und dass die einzige Erlösung, die es für sie geben kann, in der Treue zu Jesus Christus liegt. Während diese Erlösung eine Frage des Geistes ist und sich auf die Stellung eines Menschen vor Gott und seine Beziehung zu den großen ewigen Realitäten auswirkt, wirkt sie sich auch auf seine Stellung bei den Menschen und seine Beziehung zur Gesellschaft aus. Und hier kommt die gesamte humanitäre und gemeinschaftliche Arbeit ins Spiel, die ein legitimer und wichtiger Teil des Anliegens der Kirche ist. Gemeinschaftsarbeit kann niemals das Wirken des Geistes Gottes im individuellen Leben ersetzen. Um dauerhaft wertvoll zu sein, muss es das *Ergebnis* dieser Arbeit sein. Das Reich Gottes umfasst das vollständige Ideal, und wenn wir die Menschen dazu bewegen können, nach den Grundsätzen dieses Reiches zu leben, wird der gesamten Arbeit, die für die Gemeinschaft geleistet werden muss, sorgfältige Aufmerksamkeit geschenkt. Daher ist die

Arbeit der größeren Pfarrgemeinde in erster Linie, wenn auch nicht ausschließlich, evangelistisch. Wir versuchen, Menschen dazu zu bringen, Christen zu werden, nicht im engeren Sinne, sondern in der großen, reichen Bedeutung des Wortes, das ihm die Lehre Jesu verleiht.

In den drei Jahren, die wir zurückblicken, gab es einige solcher Ergebnisse. Eine beträchtliche Anzahl von Menschen hat sich entschieden, das christliche Leben zu beginnen und ist in die Reihen der Nachfolger Jesu Christi eingetreten. Wir sind dankbar, dass die Armee des Herrn so viele neue Rekruten aufgenommen hat. Aber es gibt noch viele weitere, die noch nicht bereit sind, sich zu engagieren. Die Zahl derjenigen, die noch außerhalb der Reihen stehen, ist größer als die derjenigen, die unter dem Banner der sichtbaren Kirche marschieren. In dieser Richtung bleibt noch viel zu tun. Die Arbeit ist in diesem wesentlichen und wichtigsten Aspekt noch lange nicht abgeschlossen. Wir haben erst einen Anfang gemacht. Es wird nicht zu Ende sein, bis sich jeder Mensch in der weiten Gemeinde offen und positiv auf die Seite Christi gestellt hat. Beim gegenwärtigen Tempo des Fortschritts sieht es so aus, als hätte die Kirche noch lange Zeit damit zu tun. Es besteht nicht die Gefahr, dass das Material bald ausgeht. Es gibt noch viel zu tun, um die Menschen in das Reich Gottes zu bringen. Wir hoffen, dies immer im Blick zu behalten – es zu unserem zentralen Ziel und unserem obersten Gedanken zu machen.

2. In den Herzen der Menschen muss mehr Respekt für die Kirche, ein besseres Verständnis ihrer Mission und eine umfassendere Wertschätzung ihrer Arbeit geschaffen werden. Viele Menschen haben falsche Vorstellungen von der Kirche und schätzen daher ihre Arbeit oder ihren Zweck nicht ein. Manche betrachten es einfach als eine ehrwürdige Institution, die seit langem einen festen Platz in der menschlichen Gesellschaft hat. Es hat in früheren Zeiten wichtige Arbeit geleistet und hat noch immer seinen Wert. Es soll für seine Leistung geehrt und dennoch auf milde und gönnerhafte Weise gefördert werden. Sie würden die Kirche nicht verbannen – sie sind noch nicht ganz bereit, es zu unternehmen, die menschliche Gesellschaft ohne sie zu führen. Sie tolerieren es und unterstützen es vielleicht halbherzig, aber sie halten es nicht für unbedingt notwendig und seine Arbeit nicht für lebenswichtig. Sie verstehen die Kirche nicht. In gewissem Maße mag die Kirche daran schuld sein. Es hat sich nicht immer verstanden. Ihre Vorstellung von ihrer eigenen Mission war klein, eng und unzureichend, und es war unvermeidlich, dass auf die Gemeinschaft kein wahrer und umfassenderer Eindruck gemacht werden konnte. Wenn die Kirche sich verpflichtet, alles zu tun, wofür sie verantwortlich ist, und sie mit der Kraft und Ernsthaftigkeit verfolgt, die sie verdient, werden die Menschen beginnen, sie besser zu verstehen und ihre Mission besser zu würdigen.

Viele Menschen betrachten die Kirche als eine zu unterstützende Institution. Im allgemeinen Denken hat sich diese Institution aus irgendeinem Grund, der vielleicht nicht immer ersichtlich ist, das Recht zu eigen gemacht, die Gemeinschaft für ihre Unterstützung zu würdigen. Einige akzeptieren diese traditionelle Idee, ohne viel darüber nachzudenken, während andere dagegen aufbegehren. Einer der Hilfspastoren besuchte zum ersten Mal ein Haus. Der Hausherr sagte bei seiner Vorstellung: „Oh, schon wieder ein Prediger! Nun ja, ich nehme an, sie alle müssen unterstützt werden." Und er war nicht der erste Vertreter der Kirche, der mit einer solchen Demütigung konfrontiert wurde.

Auch hier könnte die Kirche zumindest teilweise schuld sein. Zu oft hat es seine Aufgabe darin gesehen, die Gemeinschaft auszubeuten und für sie zu beten. Es wurde nicht immer darauf geachtet, den erhaltenen Wert anzugeben.

Unser Ziel ist es, die Kirche zu einer Notwendigkeit in der Gemeinschaft zu machen. Seine guten Werke, seine Wirksamkeit als Kraftelement in allem, was der Verbesserung und Erhebung des Volkes dient, sollten so groß und so offensichtlich sein, dass niemand sie vernünftigerweise in Frage stellen kann. Das ist eines der Dinge, die getan werden müssen, und wir hoffen, dass wir es mit der Methode der größeren Gemeinde erreichen können. Wir schlagen vor, dass die Kirche einen solchen Geist der Hilfsbereitschaft haben soll, dass sie bei der Gestaltung ihrer Arbeit so weise und praktisch sein soll, dass sie so energisch und aggressiv bei der Verfolgung vorgehen soll, dass alle sie als eine mächtige und überaus gesegnete Kraft – eine Institution – anerkennen das sie aufgrund seines praktischen Nutzens gerne unterstützen. In dieser Richtung wurden einige Fortschritte erzielt. Seit Beginn der Arbeit als Großgemeinde hat die Kirche enorm an Ansehen bei den Menschen gewonnen. Die Leute können sehen, dass es wirklich etwas bewirkt.

3. Es muss ein stärkerer und universellerer Gemeinschaftsgeist geschaffen werden. Besonders stark ist die Tendenz im Land zur Isolation und Unabhängigkeit. Jeder Bauer ist von jedem anderen getrennt. Er lebt allein, etwa wie ein Baron in seinem Schloss in alten Feudalzeiten, ausreichend für sich selbst, ohne große Notwendigkeit, Kredite aufzunehmen oder an Kredite zu denken. Wenn er unter solchen Bedingungen lebt, ist es ganz natürlich, dass er egoistisch wird und weitgehend, wenn nicht ausschließlich, an seine eigenen individuellen Interessen denkt. Er läuft Gefahr, die Tatsache zu übersehen, dass die Gesellschaft ein Organismus ist und er ein Teil davon ist; dass er Pflichten und Pflichten gegenüber der Allgemeinheit hat; dass sein Leben nicht vollständig sein kann, wenn es alleine gelebt wird; dass er der Gemeinschaft als Ganzes etwas schuldet und dass er etwas davon bekommen muss, wenn er wirklich ein Mann sein, die Arbeit eines Mannes erledigen und den Platz eines Mannes einnehmen möchte. Er muss

erkennen, dass das Gemeinwohl einen privaten Vorteil bedeutet und dass er eine törichte und selbstmörderische Politik verfolgt, wenn er sich von anderen isoliert und nur an seine eigenen individuellen Interessen denkt.

DIE BENZONIA-KIRCHE

Dieser Gemeinschaftsgeist muss sorgfältig gepflegt werden, und diese Arbeit wurde in der größeren Gemeinde durchgeführt. Der Gemeinschaftsgeist ist gewachsen. Die Menschen interessieren sich mehr als früher füreinander und für die Dinge, die für das Gemeinwohl unternommen werden. Aber in dieser Hinsicht gibt es noch viel zu tun. Noch sind nicht alle Menschen in der Lage, über die engen Grenzen des eigenen Besitzes hinauszuschauen und die Bedürfnisse der Nachbarn zu erkennen. Nicht alle begreifen die Idee der Solidarität der Gesellschaft. Aber dieser Geist wächst und in den kommenden Tagen wird es größere Früchte geben.

4. Es muss mehr Teamarbeit unter den Menschen geben, mehr Zusammenarbeit bei der Umsetzung der Vorhaben, die dem Gemeinwohl dienen. Wenn alle Menschen zusammenhalten, gibt es kaum etwas zu tun, das nicht erledigt werden kann. Ein einzelner Einzelner ist vergleichsweise machtlos, aber eine gemeinsame Bewegung in jeder Gemeinschaft ist zum Erfolg verpflichtet. Einer der wichtigsten Dienste für jede Gemeinschaft besteht darin, ihre Kräfte zu bündeln und die Menschen dazu zu bringen, mit Herz und Begeisterung für einen guten Zweck zusammenzuarbeiten.

Die Arbeit der größeren Gemeinde war in dieser Richtung nützlich. Das Ziel der Teamarbeitsausschüsse der Nachbarschaftsclubs besteht darin, bei allem voranzugehen, bei dem es wünschenswert ist, dass die Menschen zusammenkommen. Es ist heute einfacher, die Menschen dazu zu bringen, ihre Anstrengungen zu bündeln als noch vor drei Jahren, aber es bleibt noch viel zu tun. Das Ziel ist noch nicht erreicht. Die effektive Teamarbeit, die wir gesehen haben, ist eine Prophezeiung für die umfassendere Zusammenarbeit in allen guten Dingen, die wir in den kommenden Tagen hoffen und erwarten.

5. In gewisser Weise sollte mehr Abwechslung in das Leben der Landbevölkerung gebracht werden. Das Leben auf dem Bauernhof soll zu einem der attraktivsten und interessantesten Betätigungsfelder werden. Seine Freiheit, seine Unabhängigkeit, sein enger Kontakt mit der Natur sollten ihm für viele Menschen einen unwiderstehlichen Reiz verleihen. Es scheint, dass ein starker Strom menschlichen Interesses von den überfüllten und ungesunden Bedingungen der Stadt auf das offene Land fließen könnte, wo die frische Brise spielt und die Blumen blühen. Derzeit ist dies nicht der Fall. Der Bach fließt in die entgegengesetzte Richtung und jedes Jahr verschlingt die Stadt einen Großteil des besten Blutes des Landes. Es ist die Stadt, die anzieht, und das Land, das abstößt. Dies ist zu einem großen Teil auf den isolierten und eintönigen Charakter des Landlebens zurückzuführen.

Die einzige Möglichkeit, dieser Bewegung Einhalt zu gebieten oder sie umzukehren, besteht darin, dem Leben auf dem Land mehr Abwechslung zu verleihen. seine Monotonie aufzubrechen und ihm jene intellektuellen und sozialen Freuden und Beschäftigungen einzuführen, die ein notwendiger Teil eines gesunden und zufriedenen Lebens sind. Junge Menschen sehnen sich nach Abwechslung, sie müssen zusammenkommen, sie müssen sich vergnügen, sich erholen. Wenn sie es auf dem Bauernhof nicht finden können, gehen sie in die Stadt, wo es in üppiger Fülle, aber oft in anstößiger Form angeboten wird.

Ziel der Arbeit der größeren Gemeinde war es, diesen Bedarf des Landlebens zu decken. Es hat den Menschen häufig Gelegenheiten geboten und gefördert, auf soziale Weise zusammenzukommen. Die vielerorts etablierten Sonntagsgottesdienste dienten nicht nur der Andacht, sondern auch dem nachbarschaftlichen Umgang und dem Austausch freundschaftlicher Grüße. Die Nachbarschaftsclubs waren eine Art soziale und literarische Sammelstelle für die Gemeinde, die vielen einen angenehmen und gewinnbringenden Abend bescherte und etwas Gutes zum Nachdenken und Planen für den Tag bot. Die Ladies' Aid Societies haben die Frauen in Projekten und Errungenschaften von gemeinsamem Interesse zusammengebracht und ihnen die wochenlange eintönige Arbeit durch Formen der kooperativen Gemeinschaft erleichtert. Es muss noch viel mehr getan werden, um dem Leben im Land Interesse und Anziehungskraft zu verleihen, und dies ist etwas, worüber die Kirche in ihrem Wunsch, dem ganzen Menschen zu dienen, durchaus angemessen nachdenken und sich dafür einsetzen kann.

6. Maschinen scheinen bei allen Arten von Arbeit eine Notwendigkeit zu sein. Ohne eine Methode, eine Organisation, eine Maschine – eine Art Instrument zur Erleichterung des Prozesses – kann nichts getan werden. Aber die Maschine ist nie wirklich Selbstzweck. Manchmal wird damit Schluss gemacht, aber kein Bauer könnte sich mit einem Schnitter zufrieden geben, der das Korn nicht schneidet, egal wie schön und gut gemacht es ist oder wie reibungslos es läuft. Dennoch scheinen einige Kirchen mit dem reibungslosen Ablauf der Maschinerie zufrieden zu sein, auch wenn die Ergebnisse insgesamt sehr dürftig sind.

Das Hauptziel der Arbeit der Großgemeinde besteht darin, den Menschen zu helfen und ihnen auf religiöse und soziale Weise zu dienen, nicht darin, eine Konfession zu fördern, eine Kirche aufzubauen, eine Organisation zu perfektionieren oder Maschinen zu bauen oder zu bedienen jeglicher Art. Aber um den Menschen zu helfen und ihre besten Interessen effizient zu vertreten, sind einige Maschinen und eine gewisse Organisation notwendig. Unser Ziel ist es, es bereitzustellen, wenn es nötig ist, aber nicht vorher. Wenn es benötigt wird, muss es erfunden oder entdeckt oder auf irgendeine Weise in den Dienst gestellt werden. Bestimmte Methoden wurden eingeführt. Es wurden einige Organisationsformen eingesetzt, einige Maschinen wurden in Betrieb genommen. Einige Dinge, die wir ausprobiert haben, funktionierten nicht zufriedenstellend und mussten verworfen werden. Einige der derzeit scheinbar erfolgreichen Methoden funktionieren möglicherweise nicht immer so gut und müssen gegen andere ausgetauscht werden. Wir müssen stets das Hauptziel im Auge behalten, für das wir arbeiten – den Menschen zu dienen und das Gemeinschaftsleben zu verbessern – und diesem Ziel müssen wir unsere Methoden und unsere Maschinerie anpassen.

Tagen getan werden muss, brauchen wir einen wahren und unerschütterlichen Zweck, einen klaren Blick, um die Situation zu erkennen, ein ruhiges und richtiges Urteilsvermögen, um die Methode an die Arbeit anzupassen, und vor allem die Beständigkeit Führung des Heiligen Geistes. Die größere Gemeinde ist keine Methode, keine Organisation oder Maschine, die man sichern und in Betrieb nehmen kann, und dann ist die Arbeit erledigt. Es ist eine Vision – ein Ideal – das in der Seele eine lebendige Realität sein muss und dann im wirklichen Leben auf die bestmögliche Weise verwirklicht werden muss.

VII
Einige daraus resultierende Schlussfolgerungen

DIESE Geschichte begann mit „Einige Überzeugungen". Es endet mit „Einige Schlussfolgerungen". Es wurde versucht zu erzählen, wie eine Vision Wirklichkeit wurde. Die Vision entstand aus Überzeugungen. Die Schlussfolgerungen sind aus der Verwirklichung der Vision entstanden.

Als Ergebnis der dreijährigen Arbeit, die Vision in die Realität der Größeren Gemeinde umzusetzen, können einige Dinge mit Zuversicht gesagt werden. Die Erwähnung einiger von ihnen rundet die Geschichte ab.

1. Die Dorfkirche muss, wenn sie ihre Aufgabe erfüllen will, den Menschen gehören und in engem Kontakt mit ihnen stehen. Es muss in irgendeiner Weise allen Menschen dienen und eine Kraft im Leben aller Menschen sein. Es ist bekannt, dass Kirchen wie Einzelpersonen bestimmte Eigenschaften haben und bestimmte Temperamente besitzen. Einige sind aristokratisch und exklusiv. Sie scharen eine Reihe ausgewählter Familien um sich, die einen gemeinsamen Geschmack haben und einander sympathisch sind. Sie verbringen schöne Zeiten zusammen und innerhalb dieses engen Kreises herrscht ein wunderbares gesellschaftliches Leben. Diese wenigen Menschen sind gut ausgebildet und in den Fakten und Prinzipien der Religion, wie sie von ihnen verstanden werden, gut unterrichtet. Aber sie scheinen nicht von der Idee überzeugt zu sein, dass die Kirche für alle Menschen da ist; dass es im Wesentlichen demokratisch ist, wie Jesus es sich vorgestellt hat. Sie fühlen sich der Gemeinschaft als Ganzes gegenüber nicht verpflichtet und bemühen sich nicht, sie als Ganzes zu beeinflussen und auf eine höhere Ebene zu heben.

Die Dorfkirche, die ihre Arbeit tun würde, muss demokratisch sein und ein Gemeinschaftsbewusstsein haben. Es muss dem Volk gehören – in engem Kontakt mit denen jeder einzelnen Klasse stehen.

2. Wenn die Dorfkirche ihre ordnungsgemäße Arbeit leisten will, muss sie ihre Verpflichtung anerkennen, sich in irgendeiner Weise um die religiösen und sozialen Bedürfnisse der Menschen in den entlegenen Landbezirken zu kümmern. Das Dorf sollte nicht seine Pfarrei sein, sondern vielmehr seine Operationsbasis, von der aus es in das gesamte weitläufige, dahinter liegende Gebiet vordringt.

3. Die Kirche, die diese Vision hat, die diese Verpflichtung anerkennt und versucht, ihr nachzukommen, wird einen Weg finden, sie zu erfüllen. Die Arbeit in den Städten und Dörfern ist oft groß und schwierig. Vielen Kirchen ist es nicht gelungen, mit dem Klang ihrer Kirchenglocke alle Menschen zu erreichen, und vor ihren Türen gibt es viel Arbeit, die sie noch nicht erledigt

haben. Sollen sie ihre Gemeinde verdreifachen und erweitern und ihre Pflichten und Verpflichtungen um ein Vielfaches vervielfachen? Wenn sie nicht alles tun, was in ihrer kleineren Gemeinde getan werden sollte, sollen sie dann deren Grenzen erweitern und größere Verpflichtungen übernehmen? Ja. Das ist es, wonach viele Kirchen schmachten – eine größere Aufgabe, etwas, das sich lohnt ; etwas, das all ihre Kräfte herausfordert und ihre schlafenden Energien zu Begeisterung erweckt.

4. Die einzige Dorfkirche, die in den kommenden Jahren weiterhin stark und kraftvoll bleiben wird, wird die Kirche sein, die durch eine starke und kraftvolle Arbeit auf dem Land gestützt wird. Es muss aus Selbsterhaltungsgründen geschehen. Den Dorfkirchen droht ebenso viel Leben wie den Landkirchen. Die Kirche, die ihre Bemühungen auf die Dorfgrenzen beschränkt, wird mit Sicherheit dahinsiechen und verfallen, und nach einer Weile wird sie den Geist aufgeben, wie es sich gehört. So wie die Stadt von den Städten und Dörfern ernährt wird, so werden die Städte und Dörfer vom Land ernährt. Wenn die Arbeit in den Städten und Dörfern untergeht, wird sie in der Stadt zu spüren sein, und wenn sie auf dem Land ihren Einfluss verliert, wird sie bald auch die Dörfer und Städte nicht mehr im Griff haben. Das Land braucht die Arbeit der Großgemeinde, und ohne sie wird es zugrunde gehen. Aber die Dorfkirche muss noch mehr Arbeit leisten, und wenn sie diese nicht mit Nachdruck in Angriff nimmt, ist sie zum Scheitern verurteilt.

5. Wenn die Kirchen mehr Interesse an der Förderung des Königreichs haben als an der Förderung ihrer eigenen Konfession, werden sie beginnen, jenen Wohlstand zu erleben, den nur diejenigen haben können, die wirklich das Werk des Herrn tun. Das Haupthindernis für die Arbeit der Kirchen sind oft die Kirchen selbst. Eines der größten Bedürfnisse der Dörfer und ländlichen Regionen sind weniger Kirchen.

Wenn es in jedem kleinen Dorf eine einzige Kirche gäbe, in der sich alle Christen der Gemeinde vereinen könnten, könnten sie die Arbeit im ganzen umliegenden Land leicht organisieren und erfolgreich durchführen. Aber wo es mehrere Kirchen gibt , behindern sie sich gegenseitig und verhindern wirksam eine umfassende und effiziente Arbeit. Dennoch kann selbst in dieser bedauerlichen Lage systematisch etwas unternommen werden, um den ländlichen Regionen zu helfen. Warum können die Vertreter der verschiedenen Kirchen nicht zusammenkommen, das Land kilometerweit in alle Richtungen gemeinsam überblicken, sich mit der Situation und den Bedingungen vollständig vertraut machen und klar sehen, was getan werden muss, das Territorium unter ihnen aufteilen und geben? Hat jede Kirche ihr eigenes Fachgebiet und darf sie ihre Kultivierung auf ihre eigene Weise gestalten? Ich glaube, dass eine solche Regelung machbar ist, wenn es den

Kirchen in erster Linie um die Förderung des Königreichs geht und nicht um die bestimmte Konfession, der sie zufällig angehören.

6. Wenn sich alle religiösen Kräfte in einer Gemeinschaft vereinen und zusammenarbeiten können, kann die gesamte Arbeit, die in der Gemeinschaft erledigt werden muss, erledigt werden, und es wird nicht an Ressourcen mangeln, um sie mit Kraft und Erfolg durchzuführen. In fast jeder Gemeinde gibt es genug Christen und es gibt genug Geld für die Arbeit, wenn sie nur versammelt und eingesetzt werden können. Aber wenn sie verstreut sind, lose und unverbunden herumliegen oder wenn sie in konkurrierenden Lagern organisiert sind, sind sie für jeden Zweck aggressiver und effektiver Arbeit nutzlos. Es ist nicht die Armut der Menschen, die dem im Weg steht, oder die geringe Zahl bekennender Christen. Es ist der Mangel an Teamarbeit, der Mangel an Kooperation , der die Schwäche der Sache ausmacht. Ohne diese Zusammenarbeit und Kombination kann im Land keine wirksame Arbeit geleistet werden . Damit können alle anfallenden Arbeiten erledigt werden.

7. Die Kirche, die die Vision sieht und sich mit Glauben und Mut daran macht, sie Wirklichkeit werden zu lassen, wird Erfolg haben. Als Beweis dafür kann vielleicht die Erfahrung der Benzonia- Kirche angeführt werden. Sie befand sich in einem kleinen Dorf, bestehend aus Menschen mit dürftigen Mitteln, in einem Land, das noch nicht einmal aus den Pionierbedingungen hervorgegangen ist, und hatte ihre Arbeit viele Jahre lang nur mit großen Opfern und sorgfältiger Sparsamkeit fortgeführt. Vor drei Jahren verabschiedete es durch eine einstimmige Abstimmung offiziell die Politik, das gesamte Gebiet in einem Umkreis von fünf Meilen in alle Richtungen auszudehnen und zu annektieren, wodurch seine Verpflichtungen erheblich erhöht und sein jährliches Ausgabenbudget mehr als verdoppelt wurden. Es gab einige Fragen, wie dies bewerkstelligt werden könnte, aber ohne auf klareres Licht zu warten, ging man einstimmig zur erweiterten Arbeit über.

Was ist das Ergebnis der drei Jahre? Es waren die drei erfolgreichsten Jahre in der Geschichte der Kirche. Der Geistlichen Truppe wurden zwei Männer hinzugefügt. Die Kosten der Kirche wurden gedeckt und die Rechnungen wurden bei Fälligkeit bezahlt. Die Beiträge für Inlands- und Auslandseinsätze haben sich mehr als verdoppelt. Es wurden mehr Mitglieder aufgenommen als in jedem anderen vergleichbaren Zeitraum. Es herrschte vollkommene Harmonie und die Menschen waren bei ihrer gemeinsamen Arbeit froh und glücklich. Im ganzen Land wurden zehn Gotteshäuser errichtet, in denen regelmäßig Gottesdienste abgehalten werden. Die Menschen in diesen Vierteln besuchen ihre eigenen Gottesdienste und kommen nicht wie früher einige von ihnen in die Dorfkirche. Die gegenwärtige Regelung zielt nicht darauf ab, eine große Zentralgemeinde aufzubauen, sondern hat den gegenteiligen Effekt. Dreißig ehemalige zentrale Mitglieder sind Teil einer neu gegründeten drei Meilen entfernten Kirche geworden. Weder im Dorf noch im umliegenden Land gab es einen großen Bevölkerungszuwachs. Aber die Gemeinden und Sonntagsschulen waren noch nie so groß wie in dieser Zeit. Es erwies sich als unmöglich, alle Gottesdienstbesucher in der Kirche unterzubringen oder die Sonntagsschulbesucher angemessen zu betreuen. Ein größeres Gebäude wurde zu einer echten Notwendigkeit, und im Sommer 1913 wurde ein Anbau vorgenommen, der die Sitzplatzkapazität des Gebäudes um ein Drittel erhöhte und eine Reihe von Räumen für Sonntagsschulen und gesellschaftliche Zwecke bereitstellte. Können wir daran zweifeln, dass der Segen Gottes jede Kirche erreichen wird, die die Vision sieht und sich mit Glauben, Mut und Opferbereitschaft der Arbeit widmet, sie Wirklichkeit werden zu lassen?

8. Wenn alle Geistlichen und alle Kirchen die Vision der Großgemeinde erfassen und sich der Arbeit widmen, sie Wirklichkeit werden zu lassen, werden die ländlichen Regionen religiös, moralisch und sozial rehabilitiert und es wird ein großartiger Impuls gegeben zur Arbeit im ganzen Land. Wenn die Dorfkirchen einen praktischen Plan für Erweiterungsarbeiten annehmen können, könnte sich die Gesamtsituation auf dem Land schnell ändern. Die Menschen, sowohl in den Dörfern als auch auf dem offenen Land, sind zu einer solchen Bewegung eher bereit als angenommen. Wäre die Idee einer größeren Gemeinde, wie sie in dieser Geschichte dargelegt wird, nicht ein guter Arbeitsplan für eine solche Bewegung?

Kein Mensch kann große Begeisterung für eine Aufgabe aufbringen, die nicht alle seine Kräfte herausfordert und in die Tat umsetzt – und eine Kirche kann das auch nicht. Bei den Dorfkirchen geht es sowohl um Selbsterhaltung als auch um aufgeschlossenen Dienst. Sie müssen diese Arbeit tun oder sterben. Sie werden den geistigen Verfall des Landes nicht lange überleben. Das Land und das Dorf stehen und fallen zusammen. Ihre Schicksale sind vereint. Sie müssen sich gegenseitig zu einem besseren Leben verhelfen, sonst versinken sie in einer ähnlichen wirtschaftlichen, sozialen und spirituellen Stagnation und im Tod. Der Plan der größeren Gemeinde oder ein besserer Plan wird, wenn er klug und energisch umgesetzt wird, sowohl dem Dorf als auch den Landgemeinden ihr rechtmäßiges Erbe an spiritueller und sozialer Stärke und Nützlichkeit sichern.

9. Fast alle christlichen Konfessionen haben eigene Missionsausschüsse oder -gesellschaften, deren Aufgabe darin besteht, die Evangeliumsarbeit an bedürftigen Orten aufrechtzuerhalten und Kirchen an der Grenze und in mittellosen Orten zu organisieren und zu pflegen. Die Grenzlinien sind nicht mehr so ausgedehnt wie früher, aber die verlassenen Orte sind fast so zahlreich wie eh und je, und sie liegen mitten im Herzen unserer am weitesten entwickelten Zivilisation. Tatsächlich lügen sie überall in unseren Kirchen,

oft fast im Klang der Kirchenglocke. Es ist oft zu teuer, einen Geistlichen zu unterhalten und an all diesen Orten regelmäßige Gottesdienste aufrechtzuerhalten, und so bleiben ihnen die Privilegien des Evangeliums verwehrt. Wenn sie um eine Dorfkirche als Zentrum gruppiert werden können und wenn die Kirche die Basis für Aktivitäten sein kann, von denen aus die Arbeit in all diesen abgelegenen Regionen durchgeführt wird; Wenn mit Hilfe der Heimmissionsausschüsse eine ausreichende geistliche Truppe aufrechterhalten werden kann, um die weitreichende Arbeit fortzusetzen, wird ein solcher Kurs dann nicht eine praktische, erfolgreiche und wirtschaftliche Methode zur Durchführung der Heimmissionsarbeit sein?

Gott wartet darauf, die Vision denjenigen zu geben, die bereit sind, sie anzunehmen. Das Land wartet in seiner großen Not und Trostlosigkeit auf die Hilfe, die ihm die Dorfkirchen geben können. Ich glaube, dass die Heimatmissionsgesellschaften und -ausschüsse bereit sind, an einem solchen Plan zur Erbauung und Evangelisierung der Landbezirke mitzuarbeiten . Die Dorfkirchen selbst warten auf die umfassendere Arbeit, um ihr schwindendes Leben zu beschleunigen und ihren schwindenden Enthusiasmus zu entfachen. Die Welt wartet darauf, dass sie in einem entschlossenen und hingebungsvollen Bemühen voranschreitet, um die Vision in die Realität umzusetzen. Gott wartet darauf, seinen Geist in reichlichem Segen auf die Kirchen auszugießen, die genug Glauben und Mut haben, die Arbeit zu unternehmen.

Ich glaube, dass die Erfüllung all dessen nicht mehr weit in der Zukunft liegt, und wenn diese Geschichte der größeren Pfarrei auch nur in geringem Maße zu diesem Ergebnis beitragen sollte, wird der Erzähler für seinen Versuch, den neuen Weg, den er einschlägt, reichlich belohnt Gott hat ihn geführt.

> „Gehen Sie in den Vordergrund.
> Gott selbst wartet und muss
> warten, bis du kommst.
> Menschen sind Gottes
> Propheten, auch wenn die
> Zeiten stumm bleiben. Hält das
> Christus-Königreich mit der
> Eroberung so nahe? Du bist
> also die Ursache, du Mann im
> Hintergrund. Gehe in den
> Vordergrund. "